La passion pour le golf n'a d'égale que la beauté et la variété des parcours

À Élyse, qui a grandi en moi au rythme de cet ouvrage,

À Louis-Charles, ma source d'inspiration et de bonheur,

À tous ceux qui, comme moi, partagent la passion du golf.

Catalogage avant publication de Bibliothèque et Archives Canada

Marcoux, Nadine, 1977-
   Les plus beaux paysages et panoramas de golf au Québec
   (Collection UMD)
   ISBN 2-89225-594-5

   1. Terrains de golf - Québec (Province). 2. Golf - Histoire. 3. Terrains de golf - Québec (Province) - Ouvrages illustrés. I. Hollinger, Heidi, 1968- . II. Lefebvre, Stéphanie, 1974- . III. Titre. IV. Collection.
   GV985.C3M37 2005   796.352'06'8714   C2005-940239-3

Les éditions Un monde différent ltée
3925, Grande-Allée, Saint-Hubert
(Québec), Canada J4T 2V8
Tél. : (450) 656-2660
www.umd.ca
info@umd.ca

CONCEPTION GRAPHIQUE ET MISE EN PAGES : Olivier Lasser
PHOTOGRAPHIES : Heidi Hollinger et Stéphanie Lefebvre

Cet ouvrage a été composé en Perpertua corps quatorze sur dix-sept.

HEIDI HOLLINGER
Club de golf de Bic, Golf Boule Rock, Club de golf Le Manoir Richelieu, Golf Gray Rocks (parcours La Bête), Club de golf de l'île de Montréal (parcours Sud), Club de golf Lac Saint-Jean, Club de golf Royal Laurentien, Club Saguenay-Arvida, Club de golf Saint-Laurent, Club de golf The Falcon et Golf Tremblant (parcours Le Diable).

STÉPHANIE LEFEBVRE
Club de golf Cowansville, Club de golf Drummondville, Club de golf Fairmont Le Château Montebello, Club de golf de Joliette, Club de golf Ki-8-Eb, Golf Le Challenger, Centre de golf Le Versant (parcours Des Seigneurs), Club de golf Owl's Head et Golf Sainte-Rose.

CLAUDE GAGNÉ (COLLABORATION SPÉCIALE)
Club de golf Saint-Georges

SERGE NADEAU (COLLABORATION SPÉCIALE)
Musée du Golf du Québec, 669, Coupland, Granby, Québec, J2G 9J6
Tél. : 450.372.0167 • www.golflescedres.com

ISBN 2-89225-594-5

Nous reconnaissons l'aide financière du gouvernement du Canada par l'entremise du Programme d'Aide au Développement de l'Édition (PADIÉ) pour nos activités d'édition. Gouvernement du Québec – Programme d'aide à l'édition de la SODEC.

Photo en première de couverture : Club de golf Le Manoir Richelieu.
Photo en quatrième de couverture : Golf Le Challenger.

Imprimé au Canada

LES PLUS BEAUX PAYSAGES ET PANORAMAS DE

Golf

au Québec

Nadine Marcoux

PHOTOGRAPHIES : HEIDI HOLLINGER ET STÉPHANIE LEFEBVRE

UMD

TABLE DES MATIÈRES

Préface 9

Mot de l'auteure 11

Club de golf de Bic 14

Golf Boule Rock 20

Club de golf Cowansville 26

Club de golf Drummondville 32

Un peu d'histoire : Connaissez-vous le colf ? 38

Club de golf Fairmont Le Château Montebello 40

Golf Gray Rocks, parcours La Bête 46

Club de golf de l'Île de Montréal, parcours Sud 52

Club de golf de Joliette 58

Un peu d'histoire : L'Omnium canadien au fil des ans 64

Club de golf Ki-8-Eb 68

Club de golf Lac Saint-Jean 74

Golf Le Challenger 80

Club de golf Le Manoir Richelieu 86

Un peu d'histoire : De John Shippen à Tiger Woods 92

Centre de golf Le Versant, parcours Des Seigneurs 96
Club de golf Owl's Head 102
Club de golf Royal Laurentien 108
Club Saguenay-Arvida 114

Un peu d'histoire : Le golf au féminin 120

Club de golf Saint-Laurent 122
Club de golf Saint-Georges 128
Golf Sainte-Rose 134
Club de golf The Falcon 140
Golf Tremblant, parcours Le Diable 146

Un peu d'histoire : Les premières règles du jeu 152

Index : Coordonnées des parcours 155
Les photographes 157
Remerciements 159

PRÉFACE

Pour qu'un livre soit réussi, c'est connu, il faut la rencontre d'un sujet et d'un auteur.

Or, jamais rencontre n'a été plus heureuse que celle de Nadine Marcoux et du thème de son ouvrage *Les plus beaux paysages et panoramas de golf au Québec*. Cette jeune journaliste au talent peu commun est en effet une passionnée du golf. Non seulement du noble jeu lui-même auquel elle se livre hebdomadairement entre deux chroniques adroitement ficelées, mais de son histoire et de son fastueux déploiement à travers les plus beaux parcours de la province.

Son livre, vous le verrez, est magnifique par son iconographie mais aussi et surtout, il est une invitation au voyage. Et pas n'importe quel voyage mais bien celui que tout golfeur digne de ce nom peut faire en pensée – ne dit-on pas que le golf se joue dans la tête ? – avant de le faire en chair et en os en affrontant les verdoyantes allées savamment décrites par Nadine.

Bic, Le Manoir Richelieu, Le Challenger, Tremblant Le Diable, et combien d'autres dont la seule évocation des noms légendaires incite à rêver… Dans cet ouvrage, les golfeurs pourront découvrir non seulement à quel moment ces clubs de golf ont été fondés et par qui, mais également comment affronter leurs parcours avec succès.

En outre, comme si ce n'était pas déjà largement suffisant pour en mettre plein la vue aux golfeurs, ce livre est comme un tapis magique (vert, il va sans dire !) qui nous fait aussi voyager dans le temps. Car cédant pendant quelques pages sa plume alerte à son collègue Serge Nadeau, Nadine nous permet de rafraîchir notre mémoire golfique. Et nous sommes immédiatement amusés de nous rappeler – ou de découvrir, soyons honnêtes ! – qu'au XIIIe siècle le golf était le « colf » et que la balle était en bois.

Les joueurs visaient alors un arbre ou une bâtisse, ce qui, ma foi, est encore vrai aujourd'hui dans bien des cas : comme quoi plus ça change plus c'est pareil ! L'historien en herbe (longue !) du golf apprendra aussi, totalement médusé comme devant un de ses propres coups accidentellement miraculeux, que le légendaire Old Course de Saint Andrews ne compta d'abord que 6 trous. Puis, on le modifia pour en offrir 22. En effet, 22 divisés commodément en deux 9 trous, oups ! je veux dire en deux 11 trous ! Mais ce n'est qu'en 1764 qu'on adopta ce qui devint la norme pour tous les terrains : 18 trous.

Pour conclure, ce ne sont là que quelques-uns des bijoux dont vous parera ce livre magnifique. Pour ma part, je me suis littéralement régalé à la lecture de cette œuvre et je suis certain que tous les lecteurs du *Golfeur et du Millionnaire*, — et ils sont nombreux ! — adoreront également cet ouvrage et voudront l'offrir à leurs partenaires de golf pour gagner leurs paris du samedi ! Quant à leurs adversaires, ils n'ont qu'à bien se tenir… ou à se procurer le livre de Nadine.

Bonne lecture et bon golf !

MARC FISHER, auteur du livre *Le Golfeur et le Millionnaire*

Mot de l'auteure

Il était une fois un parcours de golf… c'est ainsi que commencent toutes les belles histoires d'amour et celle du golf n'y fait pas exception. Dès les premiers instants où l'on voit le parcours, on imagine déjà de grandes possibilités. Au second regard, on y entrevoit quelques obstacles qui se transforment rapidement en de beaux défis. Puis, plus on est attentif à observer le parcours, plus on le contemple avec admiration en se disant à quel point il est magnifique. Après quelque temps, on réalise que son charme repose avant tout sur des petits détails qui, à première vue, passent bien souvent inaperçus…Tels deux amoureux, le golfeur et son parcours évoluent ensemble pour le meilleur et pour le pire.

Mon histoire d'amour avec le golf remonte au printemps 2000. Dans un cadre enchanteur, j'y ai joué mes premiers coups et dès lors j'ai éprouvé un engouement indescriptible. Je suis littéralement tombée amoureuse de ce sport fabuleux. À partir de ce moment, j'ai ressenti une véritable passion qui a favorisé des rencontres mémorables et des voyages inespérés. J'avoue d'ailleurs, comme je le précise bien souvent, que cette passion n'a d'égale que la beauté et la variété des parcours existants. De ce point de vue, un livre présentant les plus beaux paysages et panoramas de golf au Québec s'imposait à juste titre.

Bien entendu, il a fallu faire des choix. On compte plus de 360 clubs de golf en province et certains plaisent aux uns pour la richesse du paysage, la beauté du site et l'atmosphère exaltante qui y règne. D'autres préfèrent tel ou tel autre parcours en raison des défis plus corsés à relever, mais une chose est certaine : chaque parcours possède un je-ne-sais-quoi qui vous attire comme par enchantement et qui cherche à gagner le cœur des golfeurs, amateurs et professionnels, d'ici et d'ailleurs. Dans ce premier livre, je vous présente une sélection inédite de vingt et un parcours de golf qui par leurs attraits visuels spectaculaires et variés se sont avérés à mes yeux des choix incontournables.

Permettez-moi de vous faire découvrir les plus remarquables paysages et panoramas de golf au Québec. De purs et véritables joyaux ! Le caractère particulier de chacun de ces parcours de dix-huit trous est mis en évidence par la photographe de réputation internationale, Heidi Hollinger, et par sa collaboratrice hors pair, Stéphanie Lefebvre. Elles parviennent, d'un simple clic de leurs appareils photos, à saisir toute l'âme d'un parcours. En un mot, les paysages, les couleurs et la lumière de ces parcours de golf nous dévoilent toute leur splendeur et nous révèlent leurs plus beaux atours.

Voilà donc le rendez-vous auquel je suis heureuse de vous convier personnellement…

NADINE MARCOUX

Adressez vos commentaires et suggestions directement à l'auteure à : golf@nadinemarcoux.com

CLUB DE GOLF DE
Bic

La région de Bic est reconnue depuis longtemps pour sa nature abondante, la beauté de ses paysages et ses couchers de soleil flamboyants sur le fleuve. Véritable paradis pour les randonneurs, à pied ou à vélo, les amateurs de plein air en tout genre, les observateurs d'oiseaux, de phoques et autres espèces animales et végétales, le parc national de Bic procure au village une bouffée d'oxygène salutaire. Cette région exceptionnelle du littoral sud de l'estuaire du Saint-Laurent est amplement mise en valeur par ses 33,2 kilomètres carrés de superficie, grâce à sa faune et à sa flore riches et variées, en parfaite harmonie avec un environnement marin omniprésent.

Lorsque Samuel de Champlain, fondateur de la ville de Québec et explorateur, a découvert cet endroit majestueux, il a baptisé l'un des pics le «pic Champlain»; plus tard, la région fut appelée «Bic» à la suite d'une erreur typographique. Les lieux s'étalent au cœur même d'un amphithéâtre naturel, au pied du mont Saint-Louis, et on perçoit la présence du fleuve, son air salin et le vent du large quel que soit l'endroit où l'on se trouve. L'emplacement offre des points de vue privilégiés sur les îles et les îlots de Bic, les récifs à fleur d'eau, les falaises abruptes et le rivage fortement découpé en dentelle de mer, ce qui en fait indubitablement un site d'une beauté singulière, à vous couper le souffle.

Créé en 1932, pour le pur plaisir des vacanciers anglophones fortunés qui en manifestaient de plus en plus le désir, le parcours de golf de Bic se révèle, encore de nos jours, une authentique perle du Bas-Saint-Laurent. L'architecte de réputation internationale, Howard Watson, ajouta en 1963, quelque trente ans plus tard, neuf autres trous aux neuf premiers trous de 1932. Une fois ce projet d'agrandissement réalisé, Howard Watson compléta la signature que l'on connaît aujourd'hui. Quand on arrive au club de golf de Bic, les premières images qui s'impriment dans nos yeux ne laissent planer aucun doute : nous sommes bel et bien au bord de la mer.

De ce fait, la conception du parcours de golf de Bic s'apparente au style écossais, par sa proximité du fleuve, ses allées parsemées de buttes, ses fosses de sable légèrement soulevées et, évidemment, par la forte présence du vent. Quel que soit

l'angle du parcours, le paysage fait défiler devant nous ses attraits changeants, ses contours exceptionnels dans leur particularité propre.

Entre les conifères et les feuillus, ce dix-huit trous construit à même un promontoire surplombant le fleuve révèle un splendide décor naturel qui offre d'étonnantes perspectives visuelles. Sur plusieurs tertres de départ, surtout dans la deuxième moitié

du neuf d'aller, le panorama est tout simplement spectaculaire. Ce dernier change d'ailleurs complètement d'aspect au rythme du flux et reflux de la marée. Cette normale 72, de seulement 6 331 verges, propose un amalgame de trous très diversifiés.

Certains sont très étroits et longilignes, alors que d'autres présentent plusieurs dénivellations importantes au cœur d'un tracé sinueux et accidenté. Parmi les dix-huit trous du parcours, quelques-uns se jouent à l'aveuglette, notamment les trous 8, 10, 12 et 18. Dans cette optique, même après un coup de départ décent, il est parfois impossible de voir le vert. Il s'avère donc essentiel d'apprivoiser le parcours sous tous ses angles et de faire preuve de discernement, lors du choix des coups à exécuter dans l'espoir d'inscrire une bonne marque.

À CHACUN SA SIGNATURE

Le 14ᵉ trou propose vraiment le plus impressionnant panorama de l'ensemble du parcours. De ses tertres de départ les plus reculés, une vue imprenable sur la baie et ses îles s'offre à nous et nous présente dans toute leur splendeur les sommets du parc national de Bic, dont le «pic Champlain» et ses 346 mètres d'altitude. Cette normale 5 de 524 verges peut à première vue sembler plutôt large, mais bien souvent un vent de face accroît sa difficulté d'exécution.

Par conséquent, pour envisager d'y jouer la normale, il vaut mieux privilégier un coup de départ bien centré ou légèrement axé sur la droite de l'allée. Par la suite, vous devrez choisir avec soin le bâton à utiliser pour le second coup, en tenant compte de la présence du lac à la hauteur du 80 verges. Puis, une fois sur le vert vous remarquerez que ce dernier est relativement plat, mais demeurez quand même concentré sur votre jeu, car rien n'est encore gagné ! 🏌

NORMALE 72 – DISTANCE : 6 331 VERGES – SLOPE : 116 – ÉVALUATION : 70

GOLF
Boule Rock

INSTALLÉ CONFORTABLEMENT AUX PORTES DE LA PÉNINSULE GASPÉSIENNE, DANS LE PETIT VILLAGE DE MÉTIS-SUR-MER, LE CLUB DE GOLF BOULE ROCK DEMEURE L'UN DES RARES SECRETS ENCORE BIEN GARDÉS EN MATIÈRE DE GOLF AU QUÉBEC. AVEC SES POINTS DE VUE SPECTACULAIRES SUR L'IMMENSITÉ DU FLEUVE SAINT-LAURENT ET SES CONDITIONS DE JEU REMARQUABLES, CE PARCOURS NOUS CONVIE À UN VÉRITABLE RENDEZ-VOUS INTIME AVEC LES BEAUTÉS NATURELLES DE LA CÔTE.

Situé entre Rimouski et Matane, Métis-sur-Mer figure parmi les villages les plus pittoresques de la province et se signale par la richesse de son histoire. Aux environs de 1875 et pendant près d'un siècle, l'endroit vibrait de l'effervescence vacancière de la bourgeoisie anglophone montréalaise. La période estivale venue, ils étaient des milliers à y séjourner. Encore aujourd'hui, le patrimoine architectural de leurs grandes résidences secondaires, de style victorien et aux couleurs vives, nous rappelle toute l'élégance de cette noblesse passée. De génération en génération, le charme rustique de Métis-sur-Mer se perpétue et ne se dément pas.

Le club de golf Boule Rock s'inscrit dans la même tradition grâce aux bons soins et à l'intérêt passionné manifestés par les différents propriétaires qui se sont succédé, et qui ont su conserver au club de golf son cachet d'époque tout en l'adaptant aux besoins actuels. Fondé en 1919 par la famille Astle, le parcours de golf Boule Rock se distinguait déjà comme l'un des plus beaux de la région et entretenait une saine rivalité avec les plus vieux terrains des alentours. Quelques années plus tard, en 1923, vu la popularité grandissante du parcours, les dix-huit trous furent redessinés par Albert Murray, architecte de renom et golfeur professionnel ayant remporté à deux reprises l'Omnium canadien.

Bien que cette normale 71 présente à première vue un tracé relativement court, avec ses 6 061 verges, elle réserve tout de même bien des surprises ! Il faut faire

preuve d'une grande finesse d'exécution pour atteindre les verts aux dimensions réduites, d'autant plus qu'ils sont minutieusement protégés par plusieurs fosses de sable stratégiquement positionnées. Quelques petits plans d'eau peuvent également présenter des difficultés pour certains, surtout si le choix du bâton et l'exécution du coup ne sont pas adéquats.

Le parcours propose deux neufs trous qui se distinguent par leur dessin respectif. Le premier exige davantage de puissance que le second, ce qui plaît inévitablement aux «longs cogneurs». Cependant, malgré sa longueur, le neuf trous d'aller dispose de larges allées, droites et parallèles les unes aux autres, ce qui réduit de beaucoup le nombre de fautes possibles. Le second neuf trous propose pour sa part un tracé plus court de 533 verges qui requiert, à n'en pas douter, davantage de précision quant aux coups de départ.

Les allées de retour, plus étroites et plus accidentées, agencées à l'environnement plus boisé, contribuent à accroître le défi que nous impose le parcours. Les points de vue sur le majestueux fleuve Saint-Laurent sont plus nombreux sur le neuf de retour. En outre, quelques percées entre les arbres permettent parfois d'entrevoir le joli phare blanc et rouge qui domine la pointe rocheuse en face du village depuis 1909.

Boule Rock présente un cadre de jeu unique, par son paysage enchanteur et un sublime fleuve comme toile de fond tout au long du parcours. Une voie ferrée, dont la présence est à la fois inattendue et bucolique, traverse d'est en ouest le tracé de golf, notamment au début des allées des onzième et dix-septième trous. Le bref passage d'un train de marchandises deux fois par jour ne perturbe en rien la sérénité et le calme de l'endroit; plusieurs avouent même candidement que ce train sorti de nulle part ajoute à l'esprit champêtre et rustique qui règne sur le parcours.

En résumé, tous ces éléments se mêlent à l'air salin pur du large, aux splendides couchers de soleil qui allument l'horizon, aux apparitions soudaines de lièvres et de renards, et aux envolées gracieuses de canards et de perdrix au-dessus de la forêt qui borde le parcours. Tout cela contribue au charme et au cachet distinctifs du club de golf Boule Rock.

À CHACUN SA SIGNATURE

Le parcours Boule Rock nous offre sa plus belle signature à son sixième trou. Un impressionnant escalier de bois de soixante-trois marches nous accueille au tournant du boisé qui mène aux tertres de départs les plus reculés. Pour les marcheurs, l'effort déployé à gravir les marches est particulièrement gratifiant; d'autre part, pour ceux qui préfèrent utiliser la voiturette, un magnifique sentier boisé vous conduit jusqu'au sommet. D'une longueur totale de 210 verges, cette normale 3 tout à fait grandiose nous propose une vue unique sur le fleuve Saint-Laurent et sur une île de roc qui émerge de l'eau, d'où provient l'appellation Boule Rock.

Une importante dénivellation impose ses 76,6 pieds de hauteur entre les jalons arrière et le vert. Notre oeil surplombe l'immensité de la mer et absorbe avec ravissement sa beauté incontestable. Le bleu des flots et l'azur du ciel présentent par temps clair un contraste saisissant avec le vert lumineux du parcours. Dans le lointain, on aperçoit parfois la Côte-Nord ou Baie-Comeau comme on découvre un nouveau pays, un nouvel horizon. Par ailleurs, vu que nos yeux sont constamment sollicités par la splendeur des lieux, la plus grande difficulté de ce sixième trou est sans contredit la concentration ! ⚑

NORMALE 71 – DISTANCE : 6 061 VERGES – SLOPE : 122 – ÉVALUATION : 70,1

CLUB DE GOLF
Cowansville

C'EST AU CŒUR DE LA BELLE RÉGION DES CANTONS-
DE-L'EST QUE LE CLUB DE GOLF COWANSVILLE A
ÉLU DOMICILE IL Y A PLUS DE 80 ANS DÉJÀ. L'HÉRI-
TAGE DE CE PARCOURS, DONT L'HISTOIRE EST POUR
LE MOINS MOUVEMENTÉE, FAIT FIGURE ENCORE
AUJOURD'HUI D'UNE MATURITÉ BIEN ÉTABLIE AVEC
LE PASSAGE DES ANNÉES.

En 1923, le premier emplacement du Cowansville Country Club était situé derrière les usines de Bruck et Vilas et comportait seulement neuf trous. À cette époque, la communauté anglophone et les membres de la famille Brown ont décidé de construire un petit parcours pour la pratique de ce jeu. Toutefois, en 1960, étant donné la croissance de la population et la popularité grandissante du golf, il fut rapidement nécessaire d'agrandir le parcours à dix-huit trous.

Les travaux d'organisation et d'aménagement d'un tout nouveau site ont débuté à la suite de l'incendie involontaire du pavillon en mars 1962. Le projet d'expansion a exigé un travail acharné et un appui financier considérable de la part des premiers actionnaires, des industries locales, des autorités civiques et des contribuables. Finalement, le nouveau pavillon et les neuf premiers trous du club de golf Cowansville, tels qu'on les connaît aujourd'hui, étaient enfin parachevés sur le chemin de Farnham.

L'inauguration de ce parcours, entièrement dessiné par l'architecte Howard Watson, a eu lieu le 19 juillet 1964. Puis, trois années plus tard, le deuxième neuf trous fut complété. En 1973, le pavillon fut le théâtre de travaux d'agrandissement importants. Sur ce nouvel emplacement, le club de golf Cowansville a su acquérir au fil des années la réputation d'être un des plus beaux parcours de la province.

Grâce à ses dix-huit trous totalisant 6 862 verges, le parcours de Cowansville, remarquable dans son ensemble, propose une étonnante variété qui permet de satisfaire pleinement les plus mordus. Nul doute que l'une des caractéristiques qui distinguent ce tracé consiste dans ses allées coudées. Si certaines s'avèrent légèrement prononcées sur la droite ou même sur la gauche, d'autres allées coudées sont encore plus accentuées, notamment celles des troisième et neuvième trous. Le golfeur averti aura alors vraiment avantage à peaufiner sa stratégie. Il devra faire les bons choix en ce qui a trait au coup à effectuer et à la sélection du bâton. Il lui faudra aussi dans l'exécution de son coup viser la perfection.

Le parcours est agrémenté de quelques plans d'eau, ruisseaux, lacs et marécages, dispersés sur près d'une dizaine de trous. Ces plans d'eau se retrouvent généralement en jeu le long ou en travers des allées, disposés à des angles variables, ce qui requiert évidemment une certaine prudence. De plus, les allées présentent une agréable diversité quant à leurs dénivellations, tantôt vallonnées ou tantôt planes ; ce qui maintient le degré d'attention du golfeur constamment en état d'alerte tout au long de la partie. Les verts offrent pour leur part une cible invitante, grâce à leurs ondulations bien équilibrées et à leur entretien exemplaire.

Reconnu pour son environnement exceptionnel, le club de golf Cowansville fait valoir un superbe boisé d'érables et de résineux où la faune et la flore abondent. Outre les tortues,

les renards et les chevreuils qui nous font parfois l'honneur de leur présence sur le parcours, ce sont surtout les oiseaux qui se font remarquer. Présents en grand nombre, toute la forêt vibre de plaisir à travers leurs chants éloquents. Quel doux bonheur pour les oreilles de bien des golfeurs et amateurs de calme !

Ici, la nature règne sur les lieux sans l'ombre d'un doute. Les arbres dominent en rois et maîtres partout sur le parcours, par leur grande taille parfois impressionnante, par leur nombre et bien entendu par leur maturité. Les graminées et les fétuques dansent et se balancent maintenant au gré du vent, ainsi que les innombrables fleurs des champs qui colorent l'ensemble du tracé. En voiturette ou à pied, vous goûterez le coup d'œil entre les sentiers ombragés, parfaitement entretenus, et vous affectionnerez les points de vue, sur fond de montagne, que nous révèle ce parcours estrien.

À CHACUN SA SIGNATURE

Au départ de cette normale 5 trône l'immense érable emblématique du club. Du haut de ses quelque 150 pieds, l'arbre centenaire accueille les joueurs sur un onzième trou tout à fait grandiose. L'allée se présente vaste et accueillante, et on peut y apercevoir sur la gauche quelques sommets avoisinants, dont celui de Bromont. Avec ses 536 verges, ce trou signature incite les « longs cogneurs » à s'exprimer à leur aise. Toutefois, le second coup doit privilégier la retenue car il faut tenir compte de l'obstacle d'eau qui traverse l'allée à une centaine de verges du vert. Votre troisième coup vous permettra ensuite d'atteindre aisément le vert, bien que celui-ci soit protégé par de dangereuses fosses de sable. Avec des coups très précis, l'oiselet et la normale demeurent réalisables. ⌁

NORMALE 72 – DISTANCE : 6 862 VERGES – SLOPE : 128 – ÉVALUATION : 72,1

CLUB DE GOLF
Drummondville

À LA CROISÉE DES GRANDS AXES ROUTIERS, DU POINT DE JONCTION DE LA PLAINE DU SAINT-LAURENT AUX PREMIERS VALLONS DES CANTONS-DE-L'EST, DRUMMONDVILLE BÉNÉFICIE D'UN EMPLACEMENT GÉOGRAPHIQUE AVANTAGEUX. EN PLUS D'ÊTRE FACILEMENT ACCESSIBLE PAR L'AUTOROUTE JEAN-LESAGE, LE PAYSAGE DRUMMONDVILLOIS PRÉSENTE UN RELIEF DIVERSIFIÉ AU CACHET INCONTESTABLE. L'ENDROIT PERMETTAIT GRÂCE À SON SITE PRIVILÉGIÉ L'IMPLANTATION D'UN TEL PARCOURS DE GOLF. AINSI, LES FONDATEURS DU CLUB DE GOLF ET DE CURLING DRUMMONDVILLE ONT VU JUSTE ET ILS CONÇOIVENT, DÈS 1924, LES PREMIERS TROUS DE CE PARCOURS AUQUEL ON RECONNAÎT ENCORE AUJOURD'HUI LA PARTICULARITÉ DU DÉCOR ET LA QUALITÉ REMARQUABLE DE SON ENTRETIEN.

Avec ses dix-huit trous totalisant 6 523 verges, le club de golf Drummondville présente un tracé classique aux allées semi-fermées et peu accidentées. Le neuf d'aller nous introduit à un jeu où la précision des coups de départ est essentielle et où le décocheur est rarement utilisé. À l'inverse, sur le retour, de longs coups sont requis puisque la distance totale est augmentée de 615 verges. On dénombre également de multiples buttons occupant les allées, et des verts tout aussi capricieux que sur la première moitié du parcours. Tenant les golfeurs en haleine du début à la fin, le club de golf Drummondville conclut la partie avec un trio de normale 4 de plus de 420 verges chacune. Ainsi les 16e, 17e et 18e trous requièrent un sens stratégique à toute épreuve si l'on compte terminer en beauté.

Le club de golf Drummondville doit également sa réputation à la qualité incontestable de ses verts. Défiant complètement l'art des coups roulés, ces derniers présentent une surface de roulement impeccable qui par le fait même s'avère extrêmement rapide. À cela, viennent s'ajouter diverses ondulations du terrain et un penchant naturel du grain du gazon vers la rivière, ce qui nécessite d'être pris en considération. Une bonne lecture de ces verts, de la précision et de la retenue composent les éléments clés pour réussir la délicate exécution des coups. Les verts de ce parcours drummondvillois constituent incontestablement la grande difficulté du tracé en tant que tel.

Située en bordure de la rivière Saint-François, cette normale 72 tire profit de son décor riverain tout à fait enchanteur. Il faut préciser que la rivière est omniprésente sur plus de la moitié des trous, parfois longeant l'allée près d'un vert, ou encore bien en vue à partir de l'un des quelques tertres de départ surélevés. Toute une variété de fleurs et d'arbustes s'entremêlent à ce magnifique paysage et agrémentent le coup d'œil. Boisé à souhait, le club de golf Drummondville nous propose ses saules pleureurs et ses différentes essences d'arbres dont la maturité est imposante, de même que ses sous-bois parfaitement entretenus.

À CHACUN SA SIGNATURE

Au tout début de son tracé, le club de golf Drummondville dévoile une partie de ses charmes lors d'une première normale 5 qui longe la rivière Saint-François. La vue y est splendide. Au départ, les 493 verges de l'allée parsemée d'obstacles impressionnent les golfeurs, quel que soit leur niveau d'habileté. On remarque tout de suite la présence intimidante de la rivière Noire, devant les tertres de départ et en bordure gauche de

l'allée. Ce trou signature exige un coup de départ extrêmement précis dirigé vers le centre gauche, évitant ainsi l'eau, le terrain d'exercice et l'arbre surplombant ce côté de l'allée.

Ensuite, un fer long est requis au deuxième coup si l'on souhaite atteindre le vert en deux ou trois coups. À l'approche de la cible, méfiez-vous de l'obstacle d'eau devant vous, situé sur la gauche et des deux fosses de sable protégeant le vert. Puis, mettez votre finesse et votre dextérité à l'épreuve sur cette surface rapide et ondulée qui incline légèrement vers la rivière. Et qui sait? peut-être toute votre adresse vous permettra-t-elle d'inscrire un oiselet ! ♝

NORMALE 72
DISTANCE : 6 523 VERGES
SLOPE : 128
ÉVALUATION : 72,1

Connaissez-vous le colf?

Le golf, ses origines et ses traditions

COLLABORATION SPÉCIALE DE SERGE NADEAU

Le roi Charles 1ᵉʳ d'Angleterre (également roi d'Écosse et d'Irlande) s'occupe des affaires de l'État pendant une partie de golf en 1641.

« Colf, colve, kolven, kolf, gowf, goff, gouff, golfe, golf. »

Au XIVᵉ siècle, on ne jouait pas au golf mais au *colf*. D'ailleurs, comme vous pouvez le constater plusieurs appellations différentes ont été utilisées au fil du temps, selon le pays, l'époque ou la langue d'usage. Le jeu de golf que l'on connaît aujourd'hui, popularisé par les Écossais, n'aurait pas pu voir le jour sans le précieux apport des Pays-Bas.

En effet, vers la fin du XIIIᵉ siècle, des Hollandais organisèrent une compétition de *colf* à Loenen sur un tracé spécialement dessiné pour l'occasion afin de commémorer le premier anniversaire de la mort d'un truand. Le jeu était fort simple : les joueurs étaient munis d'une canne ayant à peu près la même forme qu'un bâton de golf moderne et d'une balle de bois. Les joueurs visaient soit un arbre, soit une bâtisse ou simplement une porte de grange dans le but de l'atteindre en moins de coups possible.

Malgré les sempiternelles guerres qui éclataient dans ce coin du globe, les Pays-Bas et l'Écosse entretenaient des relations amicales et presque fraternelles. D'ailleurs, de fréquents échanges commerciaux s'effectuaient entre les deux pays et c'est ainsi que les marins hollandais et leurs passagers ont sensibilisé les Écossais au jeu de *colf*. Ces derniers adopteront la pratique de ce jeu au milieu du XVᵉ siècle en modifiant par contre une donnée fondamentale : la cible.

Tandis que les Hollandais visaient un arbre, un portail ou une bâtisse, les Écossais préféreront creuser un trou dans la terre. Ainsi est né le *gouff*, puis le *golfe* et finalement le golf tel que pratiqué de nos jours. Cependant, à ses débuts, le golf fut interdit par le roi Jacques II qui déclarait : « Le jeu de golf distrait nos soldats de leurs exercices à l'arc, lesquels sont indispensables à la protection du territoire. » L'interdit est levé en 1502 par le roi Jacques IV, lui-même un mordu de ce jeu.

Les parcours de Leith et Bruntsfield à Édimbourg, et plus tard Saint Andrews, Perth et Montrose deviendront les premiers « vrais parcours de golf » au monde. Depuis la levée de l'interdit, la popularité du golf ne s'est jamais démentie même si l'église a tenté d'en diminuer l'ardeur, réussissant même à interdire la pratique du golf le jour du sabbat, interdiction qui durera vingt-six ans, de 1592 à 1618. Pour assurer la survie de ce jeu, il deviendra par la suite essentiel de créer des clubs avec des membres, une éthique et une réglementation.

Balle de plumes fabriquée par l'Écossais David Marshall vers 1830.

Si la ville d'Édimbourg se considère à juste titre la ville ancestrale des clubs de golf, la ville de Saint Andrews deviendra la Mecque du golf et sera à l'origine de plusieurs standards dont le plus important, le nombre de trous. En effet, le parcours de Saint Andrews communément appelé le Old Course débuta par un six trous, puis un 22 trous divisés en 11 trous pour l'aller et 11 pour le retour.

Ce parcours fut réduit à 18 trous en 1764 – certains en accusaient déjà l'immobilier et la construction de maisons – le Old Course créera ainsi le type de parcours qui deviendra la norme, le fameux dix-huit trous. Le Canada sera l'instigateur du premier club de golf en Amérique du Nord, le Royal Montréal, fondé en 1873, quinze ans avant le premier club américain, le Saint Andrews près de New York, aux États-Unis.

Les raisons de la popularité et de la longévité du golf sont nombreuses et diverses. Certains apprécient les grands espaces verts qui permettent de fuir un certain quotidien, d'autres seront attirés par le côté traditionnel du golf comme ses rituels, sa tenue vestimentaire ou la pertinence de ses règlements. Laissons M. Arnold Palmer s'exprimer sur le sujet : « Selon moi, le golf requiert un effort physique et mental de tous les instants. Mais son sens de l'éthique est encore plus important à mes yeux et il incarne parfaitement l'esprit du golf dont la tradition est demeurée inchangée depuis ses débuts. Contrairement aux autres sports, le joueur de golf fait lui-même respecter les règlements. C'est une question de fierté. »

QUELQUES DATES IMPORTANTES

1297 : Partie de colf à Loenen (Pays-Bas) durant la saison hivernale.

1457 : Le golf est interdit par le roi Jacques II, car ce jeu nuit à l'exercice des archers.

1557 : Marie, reine d'Écosse, première golfeuse connue.

1743 : « The goff » par Thomas Mathison, un prospectus de 24 pages, premier document entièrement dédié au golf.

1754 : Rédaction des 13 premiers règlements de golf.

1848 : Apparition de la balle de gutta percha (balle de caoutchouc).

1873 : Fondation du club de golf Royal Montréal, à Montréal.

1888 : Le club Saint Andrews près de New York, aux États-Unis, voit le jour.

1901 : Fondation du premier parcours au Japon près de Kobe.

1971 : Premier coup de golf frappé autrement qu'à partir de la planète Terre (par l'astronaute Alan Shepard, Apollo 14).

Club de golf
Fairmont
Le Château
Montebello

Au détour des paysages champêtres et forestiers de la vallée de l'Outaouais se cache le témoin silencieux d'une longue et riche tradition : le parcours de golf Fairmont Le Château Montebello. Confortablement niché dans la plaine de la rivière des Outaouais, ce splendide parcours de dix-huit trous offre aux golfeurs des conditions de jeu exceptionnelles et un panorama à couper le souffle.

Créé originellement en 1931 pour le plaisir exclusif des membres du prestigieux *Seigniory Club*, ce parcours de golf a été dessiné et construit par le renommé Stanley Thompson. Puis, soixante ans plus tard, le tracé a été adapté en fonction de la demande et de l'évolution du jeu. Par conséquent, John Watson, président sortant de la Société américaine des architectes de golf, s'est vu confier, en 1991, cet important projet de modification et d'agrandissement du parcours.

Dès lors, John Watson entreprend les travaux dont l'objectif est d'augmenter la superficie totale du terrain, en relocalisant ou en édifiant plusieurs des tertres de départ et des verts, et en accroissant le degré de difficulté de chaque trou par l'ajout de nouveaux obstacles. Déjà réputé pour son parcours exigeant et ses points de vue remarquables, le club de golf Fairmont Le Château Montebello s'inscrit plus que jamais aujourd'hui parmi la sélection des plus beaux parcours de golf du Québec.

Entre les boisés et les vallons du versant sud du mont Westcott serpente un tapis vert de 6 240 verges où finesse et précision sont de mise, quel que soit votre niveau de jeu. Le relief des étroites allées, souligné de multiples ondulations, s'avère incontestablement un élément crucial à considérer avant l'exécution de chacun de vos coups, surtout ceux de départ.

Par ailleurs, des obstacles d'eau traversent et bordent huit trous; ce qui inévitablement tient le golfeur en haleine tout au long de la partie. Les cinq normales 3, toutes aussi magnifiques les unes que les autres, nous allouent un bref moment de répit car leur longueur varie entre 157 et 200 verges. En résumé, le

défi stimulant que nous propose cette normale 70 a de quoi plaire à tous les joueurs, quel que soit leur calibre.

Au cœur d'une nature grandiose et empreinte du doux chant continuel des oiseaux, l'ambiance sereine des lieux nous convie à une expérience inoubliable. Les trous de golf se succèdent au milieu d'une abondante végétation, donnant ainsi aux quatuors l'agréable impression d'être les seuls à y évoluer. En y prêtant attention, on peut apercevoir quelques résidences privées à travers la densité du feuillage, mais près d'une soixantaine d'entre elles sont complètement cachées par la verdure envahissante. Ces dernières conservent toutefois le même cachet rustique de l'architecture en bois rond.

Le parcours Fairmont Le Château Montebello sauvegarde, par son décor et ses vastes espaces naturels, une tranquillité amplement recherchée, bien loin des aéroports, des autoroutes et autres désagréments bruyants. De plus, pendant de chaudes journées d'été, vous apprécierez la fraîcheur et l'ombre de certains sous-bois que sillonnent les sentiers pour voiturette.

Tout comme le Château, le pavillon du club de golf exhale un cachet aristocratique et cette charmante touche écossaise qui nous rappelle l'origine de ce noble jeu. Construit entièrement de billots de chêne rouge, le pavillon compte toutes les commodités habituelles ainsi qu'une somptueuse terrasse surplombant le 18e trou. Ses murs sont couverts d'innombrables photographies d'époque témoignant de son évolution et de sa notoriété.

Reconnu encore de nos jours comme l'un des plus importants centres de villégiature de l'est du Canada, l'hôtel Fairmont Le Château Montebello et son impressionnant domaine fascinent les visiteurs des quatre coins du globe. Le bâtiment principal de ce géant, composé de trois ailes, abrite en son centre l'ensemble des chambres d'invités ainsi qu'un atrium de trois étages. Ce dernier s'avère manifestement l'endroit de prédilection des visiteurs grâce à son imposant foyer hexagonal trônant en plein centre de l'immense pièce. En toute saison, le Fairmont Le Château Montebello poursuit sa quête d'excellence et offre mille et une activités, dont le golf évidemment. Voilà une rencontre à ne pas manquer... avec l'histoire !

À CHACUN SA SIGNATURE

Le sixième trou du Fairmont Le Château Montebello présente une magnifique normale 3 de 177 verges. Surnommé – la petite pente de ski – relativement à l'utilisation première du lieu, ce trou demande beaucoup de précision. En plein dans la mire, la cible est protégée par trois fosses de sable ainsi que par un petit ruisseau qui traverse l'allée. À partir du tertre de départ surélevé, n'oubliez surtout pas de vous arrêter un court instant pour observer toute la beauté des paysages environnants. D'ailleurs, une fois la saison automnale installée, Dame Nature revêt ses plus flamboyants coloris au plus grand plaisir des visiteurs. 🏌

NORMALE 70 – DISTANCE : 6 240 VERGES – SLOPE : 129 – ÉVALUATION : 70

GOLF
Gray Rocks,
PARCOURS LA BÊTE

ENTRE LES VALLÉES ET LES MONTAGNES LAUREN-
TIENNES SE CACHE UNE BÊTE REDOUTABLE, CELLE
DE GRAY ROCKS. UNE GIGANTESQUE «CRÉATURE»
QUI PRÉSENTE UN DÉFI DE TAILLE À QUICONQUE
OSE LA DÉFIER : 6 840 VERGES, BON NOMBRE
D'OBSTACLES ET DE HORS-LIMITES DE MÊME QU'UN
RELIEF ÉTONNANT À CHACUN DES TROUS. LA BÊTE,
POUR UNE RENCONTRE INOUBLIABLE AVEC L'ART
DU GOLF.

Avec sa splendide vue sur le mont Tremblant et les sommets voisins, l'emplacement du centre de villégiature Gray Rocks vaut à lui seul le détour. Bien établi sur les rives du lac Ouimet depuis 1906, l'établissement à vocation familiale est reconnu comme l'un des pionniers de la villégiature dans les Laurentides. La vision audacieuse et résolue de son fondateur, George Ernest Wheeler, lui a permis d'aménager les premières pistes de ski et trous de golf de la région. L'hôtel a également abrité les débuts de la petite fille de M. Wheeler, Lucille, championne du monde de ski et gagnante de deux médailles olympiques dans les années 1950.

Le complexe Gray Rocks offre trente-six trous de golf très différents. Le premier parcours, La Belle, détient le titre du plus vieux dix-huit trous des Laurentides étant donné sa construction en 1920. C'est un tracé classique en montagne dans un décor naturel splendide, et les 6 270 verges d'allées conviennent à tous les types de golfeurs. Le second parcours, La Bête, est l'œuvre du concepteur de parcours québécois Graham Cooke et date de 1998. Bien que relativement jeune, on a décerné à ce terrain de golf plusieurs distinctions et il continue de figurer parmi les meilleurs parcours au Canada, année après année. Au tracé tout aussi évocateur que son nom, La Bête vous assure une expérience de golf inoubliable.

Longeant la rivière de La Diable, La Bête propose un parcours de type championnat dans un cadre à la fois enchanteur et époustouflant. Entre la forêt et les ruisseaux, ce parcours entièrement semé d'agrostide parvient à se frayer un chemin au cœur même de la montagne et de son abondante végétation. L'omniprésence de marécages, des cinq lacs artificiels, de plusieurs fosses de sable stratégiquement positionnées, ainsi que de nombreuses zones environnementales protégées, augmentent le degré de difficulté que vous optiez pour l'un ou l'autre des cinq tertres de départ proposés.

Le relief vallonné du terrain lui confère également des dénivellations importantes. De cette optique, les tertres de départ surélevés et la présence de différents plateaux et vallées caractérisent ce parcours. Le tracé particulier de La Bête nécessite assurément un jeu très stratégique. Il requiert même à l'occasion l'exécution de quelques coups à l'aveuglette, surtout à partir des jalons de départ les plus reculés. On conseille donc de faire preuve de discernement quand il s'agit de tenir compte des distances indiquées et de l'emplacement des divers obstacles.

Cependant, quelle que soit votre marque finale, soyez assuré que La Bête et ses conditions de jeu exemplaires ne vous laisseront pas indifférent. Grâce à ses points de vue imprenables sur la région, où se profilent en toile de fond les hauts sommets de Tremblant, de Gray Rocks et du mont Blanc, de même que le charmant village de Saint-Jovite que l'on aperçoit distinctement du troisième trou, il n'est pas étonnant que La Bête apparaît parmi les meilleurs parcours au Canada. La Bête, une véritable source d'inspiration.

La Bête présente un deuxième trou tout à fait spectaculaire. Les golfeurs de tous les calibres en apprécient assurément le panorama, mais il n'en est pas toujours ainsi en ce qui
a trait à la marque qu'ils inscrivent. À partir des jalons arrière,
cette normale 4 de 430 verges propose un tracé saisissant
construit à même le relief montagneux et présente une allée
descendante en quatre plateaux. Pour leur coup de départ, les
golfeurs avertis cherchent à atteindre le plus minutieusement
possible le premier plateau, et ils évitent ainsi le ruisseau et la
zone environnementale protégée qui traversent l'allée.

Par la suite, la cible peut être atteinte à l'aide d'un coup de
fer long. On suggère une approche par la droite pour
échapper ainsi à la fosse de sable qui borde l'avant gauche du
vert. Un petit pont nous permet de traverser le ruisseau et
d'admirer sur notre droite l'eau qui ruisselle allègrement sur
les rochers. Il est à noter que ce trou représente une normale
3 depuis les tertres de départ avant, rouges et jaunes. Cela
donne un répit appréciable aux joueurs occasionnels et permet
d'accélérer par le fait même le temps de jeu. ❧

NORMALE 71 – DISTANCE : 6 840 VERGES
SLOPE : 131 – ÉVALUATION : 73

CLUB DE GOLF DE L'ÎLE DE Montréal, PARCOURS SUD

EN PLEIN CŒUR D'UN MILIEU URBAIN, UN PARCOURS DE GOLF VOUS TRANSPORTE À L'ESSENCE MÊME DES ORIGINES DE CE SPORT. LE PARCOURS SUD DU CLUB DE GOLF DE L'ÎLE DE MONTRÉAL VOUS INVITE À VISITER L'IRLANDE GRÂCE À SON DESIGN TYPIQUEMENT LINKS. «L'OCÉAN EN MOINS», CE PLUS RÉCENT DIX-HUIT TROUS DE LA GRANDE RÉGION MÉTROPOLITAINE DE MONTRÉAL POSSÈDE TOUS LES ATOUTS D'UN AUTHENTIQUE PARCOURS IRLANDAIS. PRÉPAREZ-VOUS À VIVRE UNE EXPÉRIENCE DE GOLF DÉPAYSANTE SANS MÊME DEVOIR PRENDRE L'AVION.

Inauguré en juin 2003, ce parcours de championnat, unique au Canada, est l'œuvre de l'architecte irlandais, Pat Ruddy. Après la réalisation de nombreux projets dans son pays, M. Ruddy entreprit la conception de ses deux seuls parcours en Amérique jusqu'à ce jour : les parcours Nord et Sud du club de golf de l'Île de Montréal.

Grand défenseur des intérêts du golf, cet architecte de renommée internationale est également très impliqué dans la promotion de son sport où il s'impose comme le véritable spécialiste des terrains de style *links*. Chacune de ses créations a la particularité de s'inspirer de la plus pure tradition

séculaire irlandaise, écossaise et britannique tout en examinant de nouvelles normes, ce à quoi le parcours Sud n'échappe pas.

Situé dans l'arrondissement Pointe-aux-Trembles, en bordure même de l'autoroute 40 est, le club de golf de l'Île de Montréal est étonnamment situé sur un ancien site d'enfouissement de la municipalité. Un terrain initialement plat, sans relief ni végétation, laissant toute latitude à l'imagination de M. Ruddy et son équipe. Une somme de travail colossale : plus de 225 000 « voyages de terre » visant à rehausser le sol de 5 à 10 mètres ; plus de 400 000 rouleaux de tourbe soigneusement installés à la main ; et plus de 75 acres de fétuques et de graminées semés sur l'ensemble du parcours. L'endroit est maintenant totalement méconnaissable.

Cette formidable réalisation d'influence irlandaise en sol québécois ne laisse assurément aucun golfeur indifférent. Que votre marque soit à la hauteur ou non du défi proposé par ce parcours de dix-huit trous, le spectacle visuel de la beauté des lieux charme quiconque ose s'y aventurer. Et que dire de toutes les variétés de fétuques et des fleurs sauvages qui composent l'abondante végétation, et qui parviennent à elles seules à piéger de nombreuses balles! De plus, ouvrez l'œil, car plusieurs visiteurs inattendus se joignent souvent à la partie : des renards, des chevreuils, de grands hérons et plus de 150 espèces d'oiseaux.

Dès le premier coup d'œil, l'esprit et le caractère traditionnel de l'origine de ce sport se reflètent vivement sur ce parcours. De longues et verdoyantes allées se fraient un chemin au travers d'un labyrinthe de collines et de vallées profondes. Le tout est parsemé de nombreuses fosses de sable de type «pot bunker» pouvant atteindre de 3 à 8 pieds de profondeur. À première vue, les allées peuvent sembler très étroites; cependant la présence de multiples buttes crée une illusion qui accentue cette impression. À vrai dire, les allées mesurent en moyenne de 35 à 40 verges de largeur, et un peu plus par endroits.

Un coup de départ imprécis donne lieu inévitablement à une balle perdue ou injouable. De nombreuses dénivellations et une situation géographique bien souvent à la merci des humeurs de Dame Nature caractérisent cette étonnante normale 70 de 7 255 verges. Le défi, déjà bien présent, est encore plus grand certains jours car plusieurs des allées du parcours sont ouvertes aux quatre vents. Cependant, les plus téméraires ou les plus expérimentés vous diront que cela complète votre expérience à un niveau plus avancé.

Bien que la précision demeure un atout obligatoire sur cet impressionnant parcours, la stratégie n'en demeure pas moins un élément à privilégier à chacun de vos coups. Un choix de cinq tertres de départ vous est proposé de façon à satisfaire tous les calibres de golfeurs. Du tout premier tertre de départ jusqu'au dernier, les pièges du parcours Sud se dévoilent.

De spectaculaires dunes et de multiples collines, dont certaines atteignent les 45 pieds de hauteur, dépassent de loin le relief courant des corridors dans lesquels les golfeurs ont l'habitude d'évoluer. En plus des 71 fosses de sable, d'un marais au troisième trou et de trois immenses verts doubles, une impression de grandeur et un effet particulier ressentis à chacun des trous donnent au quatuor en jeu l'illusion d'être seul sur ce parcours.

Le moins que l'on puisse dire c'est que le parcours Sud du club de golf de l'Île de Montréal propose un majestueux relief on ne peut plus varié et un superbe défi. De plus, la qualité exceptionnelle de l'entretien du parcours et de ses installations, notamment en ce qui a trait à ce site d'entraînement, lui a valu, dès les premières années, d'être l'hôte de plusieurs événements majeurs, dont l'Omnium de Montréal, et de mériter de multiples prix et des témoignages de reconnaissance de l'industrie.

Le septième trou du parcours Sud du club de golf de l'Île de Montréal nous confronte à une impressionnante normale 4 de 435 verges au mouvement ascendant. Le premier coup d'œil intimide plus d'un golfeur en raison de sa large fosse naturelle qui traverse l'allée dans toute sa largeur. À l'arrière de cette fosse se dresse un mur de bois qui ajoute cet air d'authenticité que possèdent les véritables parcours *links*. Il faut privilégier un long coup de départ en plein centre de l'allée car d'immenses monticules recouverts de graminées bordent les deux côtés de celle-ci. ✍

NORMALE 70
DISTANCE : 7 255 VERGES
SLOPE : 134
ÉVALUATION : 74,7

Club de golf de
Joliette

Le club de golf de Joliette, dans Lanaudière, suscite un émerveillement indéniable à cause de la nature à la fois généreuse et fabuleuse qu'on y retrouve. Il y a là vraiment de quoi se ressourcer ! Qualifié de véritable jardin botanique à maintes reprises, il n'est pas étonnant que le club de golf de Joliette s'enorgueillisse volontiers de cette appellation qui lui convient parfaitement.

Ce terrain servait à l'origine à la culture des pommes de terre ; il n'y avait donc à peu près pas d'arbres. En 1951, cependant, au moment de la création des premiers neufs trous de ce parcours signé Howard Watson, les membres fondateurs plantèrent plusieurs îlots d'arbres un peu partout sur le terrain. Unissant leurs efforts, ces gens, soucieux du panorama d'ensemble, délimitèrent ainsi les allées tout en préservant ailleurs sur le parcours l'impression de vastes espaces.

L'objectif premier d'ordre esthétique concourait à faire en sorte que le coup d'œil soit différent d'une allée à l'autre. Dès lors, la préoccupation de diversifier les essences végétales prit de l'ampleur. Ce tracé de golf compte de nos jours pas moins d'une soixantaine de variétés d'arbres, d'arbrisseaux et d'arbustes auxquels s'ajoutent de multiples aménagements floraux. Au cœur de cette flore nuancée, on remarque la présence de l'épinette de Norvège, le pin mugo, le peuplier blanc à feuilles argentées et le saule pleureur, pour ne nommer que ces quelques espèces.

Avec le temps, ces arbres ont bien sûr atteint leur maturité et la plupart sont aujourd'hui d'une taille imposante. Que l'on se passionne ou non pour l'art paysager et floral, nul ne peut dénier l'aspect horticole remarquable de ce parcours. Ce soin constant dont le club de golf de Joliette a fait preuve, au fil des années, a également permis d'accroître le nombre et la variété des essences végétales, ce qui a contribué assurément à sa renommée.

Cette normale 72, s'étalant sur 6 746 verges, inaugurée officiellement en 1957 au moment de la création de son second neuf trous, propose des conditions de jeu remarquables. Grâce à ses allées bien découpées, à son herbe longue entretenue avec grand soin et à ses verts présentant une surface de roulement idéale, le club de golf de Joliette se démarque par la qualité de son entretien général.

En ce sens, toute une équipe s'affaire quotidiennement à maintenir cette solide réputation acquise au fil des ans, assurant par le fait même une expérience de golf inoubliable à tous ceux et celles qui empruntent ses allées. À vol d'oiseau, on constate que ce parcours s'étend sur un site enchanteur presque entièrement encerclé par la rivière l'Assomption. L'étendue boisée aux divers tons de vert abrite également trois lacs et plus de soixante-dix fosses de sable que l'on retrouve à la hauteur des coups de départ dans les allées de même qu'en bordure des verts.

Les larges allées, au relief plutôt plat, accueillent généreusement les balles. Toutefois, on remarque que la difficulté de ce parcours se résume surtout à sa longueur : la balle roule peu et les obstacles s'avèrent nombreux. Par ailleurs, les verts présentent des surfaces de bonne dimension et sont pour la plupart dépourvus de pente et d'ondulation. Cependant, les coups d'approche nécessitent une bonne dose de finesse en raison de la profondeur des fosses de sable qui protègent l'accès à la cible.

Son paysage exceptionnel, entretenu avec grand soin et la qualité de son parcours confèrent incontestablement au club de golf de Joliette la note d'excellence. Pour découvrir un jardin unique et rarissime, il suffit simplement d'observer avec quelle minutie on entretient plusieurs arbustes parfaitement taillés, épousant des formes coniques, pyramidales ou même disposés en spirale.

À CHACUN SA SIGNATURE

La troisième normale 3 du parcours, le onzième trou, propose un magnifique dessin totalisant 185 verges. Au départ du tertre le plus reculé, il est recommandé d'orienter votre coup vers la gauche étant donné qu'il y a sur la droite un lac et un boisé. À l'inverse, si vous privilégiez les autres jalons de départ, un obstacle d'eau et sa superbe fontaine se situent devant le vert. L'évaluation de la distance à couvrir devient alors l'élément principal à considérer.

De plus, deux fosses de sable protègent la cible, rendant l'accès beaucoup plus hasardeux. Quel que soit le tertre choisi, le coup de départ doit tenir compte de la difficulté inhérente à ce vert à double palier. Le devant de ce vert, légèrement ascendant, rend tout roulé exécuté à cet endroit d'autant plus difficile à négocier. Par conséquent, il est préférable d'opter pour un coup de départ précis, privilégiant la partie arrière du vert si l'on souhaite y inscrire la normale. ⚑

NORMALE 72 – DISTANCE : 6 746 VERGES – SLOPE : 128 – ÉVALUATION : 72,5

L'Omnium canadien au fil des ans

COLLABORATION SPÉCIALE DE SERGE NADEAU

Neuf des dix professionnels présents en 1904. Nous reconnaissons George Cumming troisième à gauche, James Black cinquième à gauche et le vainqueur John Oke troisième à partir de la droite.

Période d'avant-guerre… les débuts

Fondée en 1895, l'Association canadienne de golf deviendra l'Association royale de golf du Canada (ARGC) l'année suivante, et se définira très tôt comme étant le promoteur des « meilleurs intérêts du golf et de ses membres ». L'association décrira ainsi ses objectifs en ajoutant qu'elle seule pourra décider des endroits où auront lieu les championnats amateur et professionnel (Open).

Même si l'idée germait déjà en 1896, huit ans s'écouleront avant la tenue du premier Omnium pour des raisons évidentes à l'époque. En effet, il était réaliste d'organiser un championnat amateur en 1900 compte tenu des centaines de golfeurs amateurs recensés à cette époque, mais l'on ne dénombrait que cinq ou six professionnels d'un océan à l'autre au même moment. C'était un nombre insuffisant pour tenir un championnat digne de ce nom.

À l'automne de 1903, l'Association royale du golf du Canada annonce la tenue du premier Omnium canadien pour 1904, sur le parcours du Royal Montréal, la fin de semaine de la fête du Canada, en marge de la neuvième assemblée annuelle de l'Association. Ce tournoi, qui clôturera une semaine débordante d'activités, consistera en un 36 trous joués dans une seule et même journée.

Lors du premier Omnium en 1904, dix professionnels et sept amateurs se disputent la victoire pour la bourse de 170 $, partagée entre les six meilleurs professionnels. Cette première édition se joue dans des conditions pénibles, sous une pluie diluvienne et couronnera John Oke, champion national du Canada, titre qui s'avérera d'ailleurs le seul grand honneur de sa carrière de golfeur.

En 1907, l'Omnium sera prolongé d'une journée pour présenter la compétition sur 72 trous. Le nombre d'inscriptions au tournoi se maintiendra autour d'une trentaine de golfeurs jusqu'au début de la première Grande Guerre. À cette époque, peu d'Américains participaient à notre championnat national car les bourses remises à l'Omnium canadien ne représentaient que la moitié des bourses allouées à l'Omnium américain ou même à l'Omnium du Mexique. Certains dirigeants de l'ARGC avaient cru à tort que le seul fait de participer au troisième plus vieux tournoi national au monde comblerait d'aise les plus fiers compétiteurs.

Ces dirigeants avaient, de toute évidence, sous-estimé l'attrait monétaire. Quoi qu'il en soit, la Première Guerre mondiale a interrompu la tenue du championnat amateur et de l'Omnium de 1915 à 1918. Mais il est étonnant que cette période ait permis au golf de se faire connaître à travers le pays, grâce aux milliers de dollars amassés pour participer à l'effort de guerre, sous l'impulsion de l'ARGC, de la Canadian Ladies Golf Union et de Florence Harvey.

L'entre-deux-guerres –1919-1939

L'Omnium est de retour en 1919 et le défi d'attirer les professionnels demeure entier. L'ARGC est consciente qu'elle doit augmenter le montant de la bourse pour charmer les étrangers, et qu'elle doit aussi se résoudre à présenter le tournoi au Québec ou en Ontario pour éviter aux visiteurs des trajets longs et coûteux, et cela au détriment des golfeurs des Maritimes et de l'Ouest. Dès 1923, l'ARGC demandera un dollar par spectateur afin d'accroître ses revenus et de bonifier ses bourses. La hausse des bourses aura un effet magique sur le nombre d'inscriptions des Américains à l'Omnium.

La venue de ces joueurs de haut calibre sonnera le glas de bien des espoirs canadiens pendant plusieurs décennies à venir. Grâce aux nouveaux frais d'entrée établis, un an plus tôt, une trentaine d'inscriptions proviendront de nos voisins du Sud. Le nombre élevé de joueurs incitera les organisateurs à effectuer pour la première fois, en 1924, une élimination de certains participants après 36 trous. Seuls les joueurs ayant un maximum de 20 coups de retard sur le meneur pourront jouer les 36 trous suivants, soit les 72 trous du tournoi.

L'entre-deux-guerres s'avéra fructueux pour le golf et l'Omnium canadien, et le nombre de terrains et de professionnels fera un bond prodigieux. De grands champions comme Leo Diegel, Tommy Armour et Sam Snead ont accumulé une dizaine de victoires entre 1924 et 1941, donnant ainsi du panache à notre championnat national. Leo Diegel détient

Leo Diegel, quadruple champion de l'Omnium canadien démontrant un style peu orthodoxe.

encore aujourd'hui le record de quatre victoires en carrière. Tommy Armour, pour sa part, a su conquérir le cœur de tous les Canadiens lorsqu'il déclara en 1929 : «L'Omnium canadien n'est pas le troisième mais bel et bien le deuxième plus important tournoi après l'Omnium américain.»

Malgré ce succès, l'ARGC réalise qu'elle ne pourra pas rivaliser longtemps devant l'escalade des bourses au sud de la frontière canadienne. Un vieux débat refait alors surface, celui de la commandite. Les dirigeants de l'Association étaient divisés quant à la possibilité de céder une partie de leurs droits, sur le championnat, en échange d'un montant substantiel. L'ARGC se résout finalement à cette hérésie et s'associe à partir de 1936 à la compagnie de spiritueux Seagram.

Cette commandite permettra d'offrir une bourse totale de 3 000 $ et la Coupe Seagram au vainqueur du tournoi. Cette Coupe remplace désormais la Coupe Rivermead, maintenant remise au meilleur Canadien avec une bourse de 600 $. L'ARGC entrait ainsi de plain-pied dans l'ère moderne de la commercialisation du golf, avec quelques réticences, mais les bienfaits de cette alliance auront vite calmé les scrupules des plus récalcitrants.

L'après-guerre – 1945-1959

L'immense popularité du golf en Amérique du Nord après la Seconde Guerre mondiale est principalement attribuable aux raisons suivantes : une économie florissante qui favorise de meilleures conditions de travail, plus de temps libre et plus d'argent à consacrer aux loisirs. Le golf acquiert une plus grande visibilité quand le président Dwight Eisenhower pratique ce sport comme l'avait fait d'ailleurs le Premier ministre canadien, sir Robert Borden, lors de la première Grande Guerre. Finalement, l'avènement de la télévision coïncide avec les débuts du jeune et fougueux Arnold Palmer et continue d'accroître la popularité de ce sport.

En 1954, l'Omnium canadien sera le théâtre d'un événement exceptionnel. Le championnat tenu à Vancouver couronnera Pat Fletcher qui deviendra le premier Canadien, depuis Karl Keffer en 1914, à remporter le tournoi. Après trois rondes de 65, 70 et 74, Pat Fletcher occupera la deuxième place à deux coups du meneur, Gordie Brydson, un autre Canadien.

Pat Fletcher posant fièrement avec la Coupe Seagram en 1954.

Malgré un premier neuf trous difficile de 39, M. Fletcher récupéra de brillante façon avec un second neuf trous de 32. Il remporta ainsi la victoire grâce à une avance de quatre coups sur ses plus proches rivaux.

QUELQUES DATES IMPORTANTES

1954 : Pat Fletcher, premier canadien à remporter l'Omnium du Canada depuis 1914.

1955 : Première victoire chez les professionnels du jeune inconnu Arnold Palmer.

1955 : Première année que le réseau CBC retransmet le tournoi d'un océan à l'autre.

1956 : Doug Sanders devient le seul amateur à remporter l'Omnium canadien.

L'ère moderne – 1960 à aujourd'hui

Dans les années 60, l'ARGC doit faire face à des obstacles de taille, tels que le montant des bourses et les dates des tournois trop souvent en conflit avec l'Omnium britannique. De 1960 à 1970, le total des bourses octroyées par le commanditaire Seagram passera de 25 000 $ à 125 000 $. Les médias deviendront de plus en plus exigeants pour présenter l'événement. Leur grande influence incitera même la ville de Montréal à offrir 100 000 $ supplémentaires pour l'Omnium de 1967, disputé au Club de golf municipal de Montréal dans le cadre de l'Expo 67.

Cette édition a réuni les plus grandes vedettes mondiales, y compris messieurs Palmer, Nicklaus et Casper. Les espoirs canadiens reposaient sur les épaules de George Knudson avec, à son actif, six victoires sur le circuit ; Al Balding, premier Canadien à remporter une victoire sur un circuit aux États-Unis ; Moe Norman, considéré par plusieurs comme étant la plus belle « machine » de golf depuis Ben Hogan.

En 1970, l'Omnium canadien et son partenaire principal Seagram ont mis un terme à plus de 34 ans de collaboration, ce qui en soi est d'une longévité rarissime dans le golf et le sport en général. Quoique inexpérimenté dans ce domaine, Imperial Tobacco assuma la commandite du championnat en 1971 et mettra en jeu le trophée Peter Jackson. Lee Trevino fut le premier à remporter ce trophée, et le premier à gagner l'Omnium canadien sur le parcours de Glen Abbey en 1977. En effet, l'ARGC signera en 1974 une entente qui fera de Glen Abbey, un parcours dessiné par Jack Nicklaus, le site permanent de l'Omnium canadien pour une période de 20 ans.

La décision de l'ARGC fera certes des mécontents, les amateurs du Québec qui se sentiront privés du plaisir d'accueillir le championnat national. Le commanditaire principal, Imperial Tobacco est également réticent à s'éloigner d'un marché très lucratif. Ce parcours a couronné de grands champions comme Lee Trevino, Greg Norman, Nick Price, Mark O'Meara, Curtis Strange et, bien sûr, Tiger Woods. Après 23 années de commandite, la compagnie Imperial Tobacco passa le flambeau à Bell Canada, actuel commanditaire majeur.

En définitive, l'ARGC aura su maintenir contre vents et marées un intérêt certain pour son Omnium, malgré de fortes pressions américaines et internationales en vue de tenir des compétitions toujours plus onéreuses et prestigieuses à travers le monde. Le troisième plus ancien championnat national aura réussi à attirer les Snead, Hogan, Palmer, Nicklaus en plus de Tiger Woods en 2001 au club de golf Royal Montréal. Si l'Omnium canadien n'est plus considéré comme un des quatre tournois majeurs, il reste tout de même, aux yeux de l'élite mondiale, le championnat du pays qui demeure le berceau du golf en Amérique du Nord. ⚑

Lee Trevino, gagnant de l'Omnium canadien en 1971.

CLUB DE GOLF
Ki-8-Eb

Le club de golf Ki-8-Eb doit son appellation à la transcription phonétique du nom d'un jeune algonquin né à Trois-Rivières. Bien que l'origine exacte de l'appellation soit difficile à retracer, l'histoire évoque le souvenir d'une époque où les Algonquins et les Français s'étaient alliés contre les Iroquois. Le chef des Algonquins, du nom de Chaudière Noire, incitait les siens à commettre des actes de violence dans le but de terroriser les colons.

C'est alors que le jeune Ki-8-Eb et un petit groupe de guerriers intrépides se chargèrent d'exterminer le fléau qui menaçait leur peuple et la colonie. Ils livrèrent donc bataille aux terribles Iroquois qui perdirent alors leur chef aux mains de ce brave Algonquin. Grand vainqueur, Ki-8-Eb revint ensuite à Trois-Rivières où il demeura jusqu'à la fin de ses jours.

Baptisé Ki-8-Eb en l'honneur de ce héros, ce club de golf de la Mauricie, fondé en 1923, arbore fièrement une tête d'Algonquin sur son insigne. À l'époque de sa création, le parcours comportait seulement sept trous et ce n'est que deux ans plus tard que le premier neuf fut complété. On ajouta par la suite neuf autres trous pour en faire un parcours standard à normale 72. Ainsi, en 1952, les Trifluviens pouvaient désormais s'élancer sur les 6 605 verges du parcours Ki-8-Eb dessiné par le renommé architecte Stanley Thompson.

Le parcours Ki-8-Eb est remarquable en grande partie à cause de son emplacement en bordure même de la rivière Saint-Maurice. Figurant parmi les principaux affluents du Saint-Laurent, après l'Outaouais et la Saguenay, la rivière Saint-Maurice est un cours d'eau qui a longtemps été utilisé pour l'hydroélectricité, comme voie maritime, et surtout comme moyen de transport pour acheminer le bois jusqu'aux usines de pâte à papier.

Dans la période qui suivit cette vocation industrielle fort importante, la rivière prit toutefois une nouvelle voie en 1996 quand on y exigea l'interruption du flottage du bois, redonnant à ses utilisateurs la possibilité d'y pratiquer à loisir des activités récréatives et sportives. La proximité de l'eau et la beauté des paysages confèrent à ce havre de paix tous les

éléments recherchés par les golfeurs. Silence, nature et beautés diverses se multiplient au fil du parcours de Ki-8-Eb.

Au premier regard, on remarque notamment ses boisés hauts en couleur, ses arbres imposants et en pleine maturité dont certains sont plus que centenaires. Puis, l'omniprésence de la rivière se vérifie sur les premiers neufs trous, que ce soit

à partir d'un tertre de départ surélevé, le long d'une allée ou encore sur plusieurs des verts. Grâce à la topographie variée du parcours, les neuf d'aller et de retour comportent des particularités qui leur sont propres. Dans un premier temps, les allées se présentent sous leur forme la plus large et la plus complaisante.

Certains trous tels que les premier, second, quatrième, cinquième et neuvième, voient leur degré de difficulté accru par la présence d'obstacles d'eau. Les neuf derniers trous s'avèrent, pour leur part, beaucoup plus boisés et plus étroits que ceux du neuf d'aller. De magnifiques pins côtoient les denses feuillages longeant le parcours, isolant ainsi chacun des quatuors, établissant un tracé de retour un peu plus court mais davantage sinueux.

De ce point de vue particulier, il faut reconnaître au club de golf Ki-8-Eb une belle diversité quand il nous propose un amalgame de dix-huit trous totalement différents les uns des autres, et qui s'harmonisent pourtant parfaitement à leur environnement. De plus, la qualité de l'entretien et le souci constant d'améliorer le parcours, notamment en ce qui a trait à l'élimination des diverses dénivellations obstruant la visibilité, confèrent à ce terrain un indéniable statut d'excellence.

Du premier élan jusqu'au tout dernier roulé, le parcours de Ki-8-Eb nous tient en haleine et en voici la preuve : le dix-huitième trou conclut la partie avec une imposante normale 4 de 427 verges, sur un tracé bordé d'arbres à la fois imposants et majestueux. Le panorama est tout à fait grandiose. Une allée étroite et sinueuse, qui va en montant, exige de tout golfeur de la finesse et de la stratégie.

Bien que la distance soit un facteur important, il est préférable de privilégier au départ un bois 3 ou un fer long ; cela vous permettra de placer votre balle au centre de l'allée. Cette dernière comporte son lot de difficultés : on y retrouve sur le côté droit un accident de terrain et à gauche une zone composée d'immenses arbres surnommée la prison, compte tenu de la densité et de la dénivellation de cette zone.

Du reste, votre discernement vous évitera d'atteindre la fosse de sable située sur la gauche, à partir des tertres de départ surélevés et vous pourrez ainsi espérer atteindre le vert en deux coups. Méfiez-vous cependant de la fosse de sable protégeant l'entrée droite de la cible. En progressant vers le vert, vous apprécierez sûrement sa beauté, agrémentée d'arbres impressionnants qui bordent les lieux. En résumé, il n'est pas étonnant que le dix-huitième trou se classe au second rang des trous de ce parcours quant à sa difficulté d'exécution.

NORMALE 72 – DISTANCE : 6 605 VERGES
SLOPE : 130 – ÉVALUATION : 72,6

CLUB DE GOLF
Lac Saint-Jean

AVEC LA PRÉSENCE CONSTANTE DE SON IMMENSE LAC, CEINTURÉ DE PLAGES SABLONNEUSES À PERTE DE VUE ET DE DENSES BOISÉS, LES JEANNOIS ONT DE QUOI ÊTRE FIERS DES SINGULIÈRES BEAUTÉS DE LEUR RÉGION. OCCUPANT UNE SUPERFICIE DE PLUS D'UN MILLIER DE KILOMÈTRES CARRÉS, LE MAJESTUEUX LAC SAINT-JEAN OCCUPE LE HUITIÈME RANG PARMI LES PLUS GRANDS LACS DE LA PROVINCE. IL N'EST DONC PAS ÉTONNANT QU'ON LUI ATTRIBUE LA PRESTANCE D'UNE MER INTÉRIEURE. AU SUD DU LAC, AUX CONFINS DE LA FORÊT MIXTE SE CACHE UN AUTRE VÉRITABLE JOYAU, CELUI-CI PRISÉ PAR LES AMATEURS DE GOLF : LE PARCOURS DU CLUB DE GOLF LAC SAINT-JEAN.

Inauguré en 1984, ce plus récent dix-huit trous de la région est l'œuvre de l'architecte paysagiste Marcel Notz. La création du club de golf Lac Saint-Jean tire son origine de la disparition du parcours de neuf trous du club de golf Birchdale à Alma. Ce dernier, depuis 1931, avait initié bon nombre d'amateurs à la pratique de ce sport, mais au fil des années, la croissance de l'achalandage sur le parcours nécessita la construction de neuf trous supplémentaires. Cependant, la papetière Price Brothers s'opposa au projet et, en 1979, l'entreprise reprit possession du fonds de terrain sur lequel était aménagé le Birchdale.

À ce moment-là, plusieurs possibilités de relocalisation furent envisagées par les dirigeants. Finalement, leur choix s'arrêta sur un site exceptionnel situé à proximité du lac, à Saint-Gédéon. Les travaux supervisés par Marcel Notz débutèrent rapidement de sorte que le neuf trous initial fut prêt à accueillir ses premiers visiteurs le 1er juin 1984. Le second neuf trous fut achevé à la fin de ce même mois à la grande joie des golfeurs qui attendaient un dix-huit trous depuis fort longtemps dans la région.

Le parcours Lac Saint-Jean présente un tracé de 6 622 verges caractérisé par l'élégance de ses allées qui s'harmonisent parfaitement avec la nature diversifiée de l'endroit. Ici, chaque trou est différent. Le relief accidenté de ce site panoramique d'une grande beauté attribue à chacun des trous une touche distinctive. Ce relief offre diverses largeurs et différentes longueurs et le tout, agencé ensemble, s'avère fort intéressant pour le golfeur qui y évolue. Les verts offrent pour leur part des formes variées et des surfaces relativement grandes et ondulées.

Toutefois, la difficulté majeure, sur le parcours de golf Lac Saint-Jean, réside avant tout dans l'exécution des coups de départ. Ces derniers doivent être effectués avec précision dans le but d'éviter la densité et la proximité des boisés bordant l'ensemble du parcours, et afin de pouvoir atteindre avec précaution des allées caractérisées par leur étroitesse. De plus, des plans d'eau se retrouvent en jeu sur près de la moitié des trous, et il faut se méfier de la présence stratégique de quelques lacs ou de l'exécution de certains coups erratiques qui pourraient terminer leur envol dans d'authentiques ruisseaux ou rivières qui sillonnent le parcours.

Reconnu pour son grand respect de l'environnement, Marcel Notz a su préserver et mettre en valeur les éléments naturels présents sur les lieux. Il est donc fréquent de voir apparaître, à divers endroits sur le parcours, des rochers de tailles variées parfois même là où certains tertres de départ ont été construits. Ces derniers surplombent les allées et procurent aux golfeurs un coup d'œil fort appréciable sur l'ensemble du parcours. On y observe le tracé, les différentes coupes de gazon ainsi que les multiples teintes de vert. De plus, le calme paisible des lieux vient s'ajouter à cette

expérience de plein air incomparable, et il arrive souvent que de petits visiteurs inattendus viennent nous saluer en passant, entre autres des marmottes, des renards et des canards.

À CHACUN SA SIGNATURE

Le cinquième trou du parcours, une normale 4 de 346 verges, présente un dessin légèrement coudé sur la gauche. L'allée y est plutôt large, mais prenez bien garde aux deux fosses de sable qui occupent le côté gauche. Le second coup requiert de la stratégie quant au choix du bâton si vous souhaitez y effectuer un oiselet ou même une normale. Le vert exige de la finesse et de l'adresse car il est en grande partie entouré d'eau et de fosses de sable.

En outre, à cause de sa surface convexe et de sa rapidité de roulement, ce cinquième vert résume à lui seul tout l'art des coups roulés. Quand nous atteignons la magnifique presqu'île où s'agite le fanion, le paysage est tout à fait splendide : les denses boisés s'alignent jusque dans le lointain, le miroitement du soleil sur le sable au fond des fosses attire l'œil par le lustre de son éclat, les quenouilles agrémentent et soulignent les contours de l'étendue d'eau… Cela mérite assurément que l'on s'y attarde quelques instants. 🔏

NORMALE 72 — DISTANCE : 6 622 VERGES — SLOPE : 125 — ÉVALUATION : 72

Golf
Le Challenger

Loin de la campagne, des arbres et des montagnes, le club de golf Le Challenger s'est installé au cœur même de la vie trépidante de la grande ville. Situé au centre de l'Île de Montréal, dans l'arrondissement Saint-Laurent, cette étonnante création de l'architecte québécois Graham Cooke relève d'un véritable tour de force. Imaginez un vaste terrain plat d'une extrémité à l'autre, sans réelle végétation, où la nature a fait place à l'industrialisation ; rien de cela ne correspond à la description habituelle que l'on fait d'un site compatible avec la pratique du golf, n'est-ce pas? Eh bien, détrompez-vous car Graham Cooke et son équipe de professionnels ont réussi tout un exploit en menant à bonne fin la réalisation du spectaculaire tracé de golf Le Challenger.

Initialement, les lieux étaient occupés par les anciennes pistes d'atterrissage de la compagnie Canadair, appartenant à Bombardier ; le terme Le Challenger provient du nom du populaire jet fabriqué par cette entreprise. Une appellation qui prend tout son sens en raison des forts vents dominants qui peuvent chambouler très vite votre carte de pointage en quelques rafales seulement.

L'impressionnante construction a nécessité plus d'un million de mètres carrés de terre afin de doter le parcours d'un relief particulier et distinctif. Les verdoyantes ondulations créées par les petits buttons, les hauts monticules et les vallons concourent à donner l'impression d'une douce vague rythmée. Le spectacle visuel est si impressionnant qu'on oublie rapidement que cet emplacement géographique aurait été plus propice à un parc industriel qu'à un parcours de golf de grand luxe.

Le Challenger, une normale 72, est un parcours de calibre championnat de 6 813 verges. Il présente de larges allées, le plus souvent bordées de nombreux monticules gazonnés ou parsemés de longs fétuques dorés. De multiples obstacles d'eau et de sable agrémentent le coup d'œil tout à fait unique de l'endroit, mais c'est aussi un véritable test qui sert à mesurer la haute qualité du jeu. Les 8 lacs et les quelque 117 fosses de sable, parfois profondes dont les parois internes

forment soit un mur de bois ou de gazon, s'avèrent straté-giquement positionnés.

Les verts offrent une grande surface, reconnue pour sa rapidité lors de l'exécution des coups roulés. L'agrostide règne sur l'ensemble du parcours et permet des conditions de jeu impeccables pour le plus grand plaisir des golfeurs qui y évoluent. À la fois exigeant et accessible à tous grâce à son choix de cinq tertres de départ, Le Challenger propose tant aux novices qu'aux joueurs plus expérimentés de relever un défi très captivant.

Ce site, inauguré le 15 juin 2002, a subi une métamorphose invraisemblable qui n'a absolument rien à envier aux autres parcours. Dans un style qui lui est propre, Le Challenger se distingue de bien d'autres et s'impose comme un authentique parcours urbain à découvrir. Des points de vue incomparables sur certains des attraits de Montréal tels que le Mont-Royal, l'Oratoire Saint-Joseph, l'Université de Montréal et, plus à l'est, le Stade Olympique nous permettent de jeter sur la ville un regard extérieur différent, empreint de nouveauté. Un coup d'œil qui vaut assurément le détour !

À CHACUN SA SIGNATURE

Le nom Challenger revêt tout son sens principalement sur le septième trou du parcours. Sur cette courte mais non moins superbe normale 4 de 352 verges, bordée par un lac longeant entièrement le côté droit de l'allée, le défi est somme toute réalisable bien qu'il requière une bonne dose de discernement. Surtout n'essayez pas de couper l'allée coudée par-dessus l'eau car la distance est beaucoup trop grande, quoique invitante !

Placez plutôt votre coup de départ au centre gauche de l'allée en direction du marqueur de 100 verges, de façon à éviter les trois fosses de sable situées sur la droite. Votre coup d'approche sera ainsi simplifié et facilitera d'autant plus l'inscription possible d'une normale. Profitez donc de votre arrivée sur le vert pour admirer la magnifique vue qu'offre le lac derrière vous, le projet domiciliaire Bois-Francs et le Mont-Royal. ✍

NORMALE 72 – DISTANCE : 6 813 VERGES – SLOPE : 124 – ÉVALUATION : 71,2

CLUB DE GOLF

LE MANOIR
Richelieu

LA RÉGION DE CHARLEVOIX DOIT SON ASPECT SPECTACULAIRE AU GIGANTESQUE IMPACT D'UN IMMENSE MÉTÉORITE DE 15 MILLIARDS DE TONNES IL Y A DE CELA PLUS DE 350 MILLIONS D'ANNÉES. CETTE COLLISION A FAÇONNÉ ET SCULPTÉ LE TERRITOIRE DE FAÇON EXTRAVAGANTE SUR 56 KILOMÈTRES DE DIAMÈTRE, ET A FAIT DE CHARLEVOIX L'UN DES PLUS GRANDS CRATÈRES HABITÉS DE LA PLANÈTE.

L'histoire géologique de la région impressionne assurément, mais les paysages montagneux et l'omniprésence du fleuve Saint-Laurent à La Malbaie figurent incontestablement parmi les décors les plus majestueux de la province. Cette parfaite harmonie, alliant nature et culture, inspire traditionnellement peintres, poètes et autres artistes d'ici et d'ailleurs. Aujourd'hui, les lieux séduisent à leur tour les golfeurs grâce au prestigieux parcours du club de golf Le Manoir Richelieu.

Depuis plus d'un siècle déjà, La Malbaie jouit d'une riche tradition de villégiature. À l'époque des bateaux blancs, car c'est ainsi qu'on a désigné cette période, les villégiateurs fortunés de la haute société nord-américaine se rendaient par la voie du fleuve à La Malbaie pour y passer leurs vacances estivales. La région devint si populaire qu'en 1899 on fit construire un somptueux hôtel, Le Manoir Richelieu. Dès lors, doté d'un nom prestigieux, cet hôtel à l'architecture remarquable accueillit des visiteurs en quête d'air pur, d'exotisme, de romantisme et de grand luxe.

Malheureusement, le 12 septembre 1928, quelques heures après le départ des derniers vacanciers, un incendie a détruit complètement le Manoir. Le lendemain, on annonça la construction d'un nouvel hôtel sur le même site, dont l'inauguration était déjà prévue pour l'été suivant. Depuis ce temps, ce château de style français trône élégamment du haut de son promontoire et continue de séduire les clientèles québécoises et internationales.

Le parcours de golf du Manoir Richelieu a connu lui aussi une histoire captivante. Il fut inauguré officiellement le 18 juin 1925 en présence de l'honorable William H. Taft, ancien président des États-Unis et résident de Pointe-au-Pic pendant la saison estivale.

À la suite de plusieurs travaux d'agrandissement et de rénovation, réalisés par l'architecte Darrell Huxham, le club de golf le Manoir Richelieu compte aujourd'hui 27 trous de golf de haut calibre. Tout en conservant l'essence même du tracé original du Britannique Herbert Strong, Darrell Huxham a su créer un ensemble harmonieux mettant en valeur les atouts naturels du site, notamment son relief accidenté, ses boisés et sa vue imprenable sur le fleuve Saint-Laurent.

L'expérience de golf débute par la traversée d'un sentier panoramique exclusif reliant directement l'hôtel au pavillon du club. Ainsi, à bord d'une voiturette électrique, les golfeurs empruntent un chemin boisé et montagneux proposant une vue exceptionnelle sur le fleuve et sur un environnement fabuleux. Cette façon peu commune de se rendre au pavillon d'accueil nous laisse entrevoir que le club de golf Le Manoir Richelieu nous convie à une expérience de golf extraordinaire !

Le parcours présente un tracé, entièrement ensemencé d'agrostide, totalisant entre 6 066 et 6 326 verges, selon la séquence. L'ensemble des trois neuf trous propose un dessin parsemé de fosses de sable, tant aux avant-postes des verts qu'en bordure des allées, de même que d'innombrables îlots

d'arbres et de sous-bois. Les allées, à la fois très accidentées et vallonnées, se révèlent généralement larges.

Par ailleurs, la grande difficulté de ce parcours concerne l'exécution des coups roulés. Bien que la superficie des verts soit généreuse, ces derniers offrent un défi de lecture incontestable quant à l'évaluation de la vitesse de roulement de la balle et à sa direction affectée par la proximité du fleuve et de la montagne. Une bonne dose de retenue est donc recommandée, ainsi que de la finesse et de la précision.

On dit souvent que la première impression est celle qui reste gravée le plus longtemps dans la mémoire. Eh bien, vous ne serez assurément pas déçu du premier coup d'œil que vous offrira le parcours Le Manoir Richelieu. Le panorama est à la fois grandiose et saisissant. À chaque tournant, on remarque que la mer et les montagnes s'accompagnent à perte de vue. Digne des plus belles cartes postales, ce décor empreint de nuances de bleu et de vert n'attend que vous.

La première allée du parcours Saint-Laurent, qualifiée de généreuse quant à sa largeur, totalise 482 verges dont l'arrière-plan dévoile les splendeurs de La Malbaie et de sa baie. On peut admirer ce panorama majestueux aussi bien de l'un que des trois autres tertres de départ proposés. Il est conseillé d'apprivoiser cette normale 5 avec stratégie et discernement. Ainsi, un long coup de départ dirigé vers le côté gauche permet d'éviter les obstacles de sable et, du même coup, le précipice longeant le côté opposé. Toutefois, il faut aussi se méfier de la fosse de sable placée à la gauche de l'allée, à environ 250 verges.

Le second coup nécessite par la suite un choix judicieux quant à la distance à parcourir, puisque l'on compte pas moins de quatorze fosses de sable dispersées stratégiquement, çà et là, tout au long de ce trou. Par ailleurs, vous ne devez pas oublier de prendre en considération l'effet d'attraction exercé par la présence du fleuve au moment d'évaluer votre coup roulé. De cette façon, vous conserverez toutes les chances d'inscrire un oiselet ou même un aigle... de quoi vous donner des ailes pour affronter le reste du parcours. ☙

NORMALE 71/72
DISTANCE : ENTRE 6 066 ET
6 326 VERGES SELON LA SÉQUENCE
SLOPE : N/D – ÉVALUATION : N/D

John Shippen dans les années 1910.

De John Shippen à Tiger Woods

COLLABORATION SPÉCIALE DE SERGE NADEAU

Le golf en Amérique du Nord a connu très tôt ses frictions raciales. En effet, en 1896, lors de la seconde édition de l'Omnium américain, un groupe de joueurs blancs a menacé de se retirer du tournoi si John Shippen, un joueur noir de sang indien et Oscar Bunn, un autochtone, y participaient. Le président de la United States Golf Association (USGA) Theodore Havemeyer répondra à la menace en leur lançant un ultimatum : «L'Omnium américain aura lieu même si M. Shippen et M. Bunn sont les deux seuls participants.»

Face à l'inflexibilité de M. Havemeyer, les joueurs accepteront de participer au tournoi. John Shippen partagera la tête après la première ronde et terminera cinquième au classement final parmi les vingt-huit compétiteurs. Il participera à l'Omnium à cinq autres occasions, la dernière fois en 1913. Il est intéressant de noter que John Shippen restera dans les annales de l'histoire comme étant le premier professionnel de golf né aux États-Unis, toutes races confondues.

Dès le début du XXᵉ siècle par contre, la USGA ne suivra malheureusement pas les mêmes règles que son premier président Havemeyer. On constatera d'ailleurs avec regret son manque de constance lorsqu'elle refusera en 1952 l'inscription d'un Noir, William Wright, au Championnat amateur des golfs publics, prétextant «qu'elle était réfractaire à contrevenir aux règlements internes du club de golf hôte, le Miami Country Club». La USGA fera amende honorable en 1959 et William Wright deviendra ainsi le premier Noir à remporter un championnat de la USGA. En 1992, la USGA accueillera dans son comité de direction, John Merchant, un avocat du Connecticut, le premier Noir diplômé du Virginia Law School.

Contrairement à la USGA qui n'avait pas officiellement de barrières racistes, l'Association des golfeurs professionnels (PGA) a clairement annoncé ses couleurs dès le commencement, en 1916, à l'article 111 section 1 : «Seuls les Blancs pourront devenir membres». Réagissant un peu plus tard aux restrictions de la PGA, un groupe de médecins noirs formeront en 1928 la United Golf Association (UGA). Les grands golfeurs noirs dans les années 20 s'appellent Robert Ball, John Dandy et Howard Wheeler ; ce dernier jouait les mains à l'envers avec beaucoup de succès.

M. Wheeler est celui qui invitera Charlie Sifford à se joindre au circuit en 1946, année qui deviendra en quelque sorte le symbole de solidarité au sein de la communauté noire vis-à-vis de l'industrie du golf. En effet, c'est à Detroit au Joe Louis Open et à Pittsburgh au Negro National Open que les Noirs de tous les milieux uniront leurs efforts pour faire connaître au monde du golf l'émergence d'un talent certain, mais aussi d'un dynamisme jusque-là assurément méconnu. Étant lui-même un golfeur averti, le célèbre boxeur Joe Louis prendra part au mouvement en compagnie de plusieurs autres grands noms du sport et de la musique ainsi que des professionnels de la santé et de nombreux hommes d'affaires de tous les coins du pays.

Au-delà des symboles, la dure réalité frappera de nouveau deux ans plus tard. Dans les années 40, il y avait seulement quatre tournois accessibles pour les Noirs : le US Open, le Western Open, le Los Angeles Open et le Tam O'Shanter. En 1948, lors du L.A. Open, Ted Rhodes et Bill

Le boxeur Joe Louis à son tournoi en 1946.

Spiller qui ont terminé respectivement aux onzième et vingt-cinquième rangs devaient obtenir par leurs performances un laissez-passer pour le tournoi suivant : le Richmond Open en Californie.

À la suite du refus des autorités de les laisser jouer, Rhodes et Spiller engagent une poursuite contre la PGA. Celle-ci réglera hors cour avec les deux golfeurs en leur promettant de leur donner l'accès aux tournois appelés «Open». Rhodes et Spiller laisseront tomber la poursuite mais mordront quand même la poussière un peu plus tard lorsqu'ils découvriront que plusieurs tournois changeront leur appellation d'«Open» à «Invitation». Ces tournois auront des règlements encore plus restrictifs.

Lee Elder explose de joie à la suite de sa victoire
au Monsanto Open en 1974.

Une plus grande justice sociale

Malgré ce malheureux épisode, la lutte pour une plus grande justice sociale continuera de progresser de façon irréversible. C'est ainsi qu'en 1952, le comité organisateur du San Diego Open lança une invitation au boxeur Joe Louis. Cette invitation sera annulée par le président de la PGA, Horton Smith qui déclarera l'invitation inacceptable à cause de la fameuse clause selon laquelle seuls les Blancs peuvent devenir membres de la PGA. Insulté, Joe Louis décide alors de se présenter au tournoi comme prévu dans l'espoir que quelqu'un lui explique de vive voix les raisons de ce refus.

Joe Louis sera appuyé dans sa démarche par le commentateur radiophonique Walter Winchell qui déclarera sur les ondes nationales : « Si Joe Louis a pu porter un fusil dans l'armée américaine, il peut certes se promener avec des bâtons de golf à San Diego. » La PGA reculera devant les pressions et laissera Joe Louis participer au tournoi et offrira même l'occasion aux professionnels noirs, tel Charlie Sifford, de se qualifier pour les tournois suivants, à Phœnix et Tucson.

Charlie Sifford sera fin prêt pour le tournoi de Phœnix mais la ville qui reçoit les golfeurs semble moins prête à l'accueillir. M. Sifford devra coucher en pension dans une famille car aucun hôtel ne voudra l'accueillir et ses repas seront consommés dans cette même pension, car les restaurants ne veulent pas le servir. Et, comble d'humiliation, les golfeurs noirs ne pourront pas utiliser les vestiaires pour se changer ou simplement déposer leurs souliers. Malgré tout, un autre pas venait d'être franchi et l'évolution de la société américaine dans les années 50 amènera la PGA et ses commanditaires à revoir certaines de leurs pratiques.

En dépit de tous les obstacles qu'il a dû surmonter depuis 1946, Charlie Sifford est parvenu malgré tout à inscrire sa première victoire dans un tournoi officiellement sanctionné par la PGA. L'exploit fut réalisé en 1957 en Californie lors du Long Beach Open, un titre obtenu en tant que joueur « invité » et non comme joueur membre du circuit. « Le golf est actuellement le seul sport majeur en Amérique où les préjudices raciaux règnent en roi et maître », disait Jackie Robinson au *New York Post* en 1959.

L'abolition en novembre 1961 de la fameuse clause « de la race » fera en sorte que le golf passera à l'histoire comme étant le dernier sport majeur à accepter « officiellement » l'égalité des races. Après Ted Rhodes dans les années 40 et Charlie Sifford dans les années 50 et 60, le flambeau sera repris par Lee Elder, un ancien joueur de la UGA, qui dans les années

70 parviendra à inscrire quatre victoires sur le circuit de la PGA, incluant le Monsanto Open qui lui permettra de devenir le premier Noir à recevoir une invitation pour le Tournoi des Maîtres.

Tandis qu'un grand nombre de golfeurs noirs ont excellé sur les circuits professionnels au cours des années 70, les années 80 et le début des années 90 ont été moins fructueuses. Un joueur pourtant a laissé sa marque : Calvin Peete. Il a accumulé douze victoires sur le circuit de la PGA de 1979 à 1986 et a terminé premier dix années de suite, de 1981 à 1990, pour la précision de ses coups de départ. Calvin Peete a intégré les rangs du circuit senior en 1994, cette même année où Tiger Woods remporta la première de ses trois victoires au US Amateur.

L'arrivée de Tiger

Le flambeau fut repris de brillante façon par ce jeune prodige pour qui l'intégration à ce sport fut certes plus aisée que pour ses prédécesseurs. Mais il avait tout de même encore frais à la mémoire l'impair commis à l'égard de la communauté noire en 1990. Cette année-là, quelques semaines avant le Championnat de la PGA, présenté au club de golf Shoal Creek, les médias firent remarquer à la direction du club que celui-ci n'avait aucun membre de la communauté noire, et aucune femme au sein du club. Le cofondateur du club, Hall Thompson, répondit : « Il n'existe aucune discrimination dans notre club, sauf pour les Noirs ».

Cette malheureuse déclaration se répandit comme une traînée de poudre. Tiger Woods y répondra à sa façon le lendemain en inscrivant un 66 lors d'un tournoi junior. Beaucoup d'événements se sont produits entre la prestation de John Shippen en 1896 et l'année exceptionnelle de Tiger Woods en 1999. De quels grands golfeurs nous sommes-nous privés

pendant toutes ces années en raison des barrières raciales ? Nous pouvons raisonnablement espérer des jours meilleurs, mais il ne faudra jamais oublier les exploits des pionniers de la communauté noire.

Quelques mots sur Ann Gregory

La carrière d'Ann Gregory débute en 1943 quand elle devient membre, à l'âge de trente ans, de l'Association féminine de golf de Chicago (CWGA), réservée aux golfeuses noires. Elle s'illustrera très rapidement en gagnant le Championnat de la CWGA, et plus tard les championnats Joe Louis Invitation et United Golf Association (UGA). En 1956, la CWGA est la première organisation noire à devenir membre de la United States Golf Association (USGA). Ann Gregory pouvait donc à présent participer au Championnat amateur américain.

Ann Gregory au Championnat amateur américain.

Toutefois, Mme Gregory s'avouera vaincue en troisième ronde mais réussira, grâce à sa personnalité, à impressionner le président du club qui lui a dit : « Madame, votre présence a rehaussé la qualité du tournoi et je vous invite à venir jouer sur ce terrain quand bon vous semblera. » Voilà des paroles qui contrastaient avec les attitudes de certaines personnes, mais elles démontraient encore une fois que le talent et la dignité servent souvent de phare à certains esprits obscurs. ❧

CENTRE DE GOLF
Le Versant,
PARCOURS
DES SEIGNEURS

LA RÉGION DE LANAUDIÈRE SE RECONNAÎT À SON CARACTÈRE CHAMPÊTRE, SA NATURE ABONDANTE, LA QUIÉTUDE DES LIEUX ET ELLE MÉRITE AMPLEMENT SON SURNOM DE « RÉGION VERTE ». DANS CE CADRE PAISIBLE, AUX PORTES DE MONTRÉAL, ON RETROUVE LE PLUS GRAND COMPLEXE DE GOLF AU QUÉBEC, ET MÊME AU CANADA. AVEC SES TROIS PARCOURS DE 18 TROUS ET UN AUTRE EXCLUSIVEMENT COMPOSÉ DE NORMALES 3, LES 72 TROUS DU CENTRE DE GOLF LE VERSANT ONT DE QUOI SURPRENDRE ET COMBLER LES GOLFEURS DE TOUS LES CALIBRES.

À l'origine, ces terres de la côte Terrebonne étaient consacrées à l'agriculture. Cependant, ces quelque 350 arpents de terre ont perdu leur fertilité avec le temps et ont été mis en vente. Par un heureux hasard, Pascal Di Menna, homme d'affaires prospère et passionné de golf a découvert ces champs en friche lors d'une balade dominicale en famille. Il a alors décidé d'acheter ce vaste terrain pour y bâtir son propre parcours de golf. Ainsi, en 1986, l'aventure familiale des Di Menna a commencé.

Le projet a rapidement pris de l'envergure et le développement s'est fait en plusieurs phases. Dès l'acquisition du terrain, le couple Di Menna, aidé de leurs quatre enfants, ont travaillé avec ardeur à l'exploitation du site, que ce soit en procédant à la démolition de vieilles bâtisses ou en enlevant les pierres du terrain. L'année suivante, les travaux de construction et d'aménagement du premier parcours de golf débutaient. Le rêve prenait forme.

En août 1988, Le Versant a accueilli ses premiers golfeurs sur ses premiers neuf trous et sur son terrain d'exercice. Par la suite, les travaux se sont poursuivis jusqu'au 12 avril 1991 : ce jour-là, le centre de golf Le Versant a inauguré officiellement son complexe. Sept ans plus tard, à l'occasion de son dixième anniversaire d'acquisition, Le Versant a étonné de nouveau en inaugurant son quatrième parcours, auquel on a donné le nom Des Seigneurs.

Avec un nom aussi royal, ce dernier-né de la famille Di Menna se devait d'être grandiose pour être digne de cette appellation. Portant la signature de Graham Cooke, réputé architecte québécois, cette normale 72 de type championnat se montre amplement à la hauteur de son nom. Le parcours Des Seigneurs représente une longueur très appréciable de 7 103 verges, un choix de 4 jalons de départ, cinq normales 3 et huit normales 4, auxquelles s'ajoutent cinq normales 5, offrant chacune entre 506 et 605 verges. Tout un défi à relever !

Ces dix-huit trous, entièrement ensemencés d'agrostide, étendent leur verdure du sud au nord, soit de la côte Terrebonne à l'autoroute 640, en longeant la rivière des Mille-Îles. Le vaste terrain permet aux golfeurs d'évoluer dans deux types d'environnement bien distincts. Dans un premier temps, les trous 1 à 7 – le 7e étant une normale 5 ascendante qui sert de transition – nous accueillent au cœur d'une vallée où un immense lac borde les allées des 2e et 4e trous.

Presque totalement dénudé d'arbres, il émane de ce parcours une impression de grand espace au premier coup d'œil, et il en est de même au retour sur les trous 14 à 18. Le 14e trou est une longue normale 5, toute en descente, qui ramène les golfeurs dans la vallée. Bien que ces allées se situent dans la partie la plus basse du terrain, un mouvement continu dans le relief, créé par les nombreux monticules et quelques dénivellations, se manifeste et isole les quatuors les uns des autres.

À l'opposé, les trous 8 à 13 occupent le coteau sablonneux plus au nord. Cette excursion sur un plateau boisé,

surplombant une partie du complexe, propose un tracé aux allures plus traditionnelles, mais aux allées très étroites et aux obstacles multiples. Des 13e et 14e tertres de départ, au haut du versant, le panorama est tout à fait spectaculaire. Au-delà du parcours, on aperçoit la métropole avec ses imposants gratte-ciel, le Stade Olympique, le Mont-Royal, l'Oratoire Saint-Joseph et l'Université de Montréal. Le coup d'œil à lui seul vaut le détour.

À tout seigneur tout honneur, dit-on, et bien le dernier-né du centre de golf Le Versant n'y fait pas exception. En ce sens, il a déjà acquis ses lettres de noblesse, à sa quatrième année d'exploitation, soit en 2002, lors de la présentation de l'une des étapes importantes du circuit professionnel canadien, organisée en collaboration avec l'Association des golfeurs professionnels du Québec.

À CHACUN SA SIGNATURE

Vous vous rappellerez longtemps du 14e trou sur le parcours Des Seigneurs. De ses tertres de départ les plus

reculés, le point de vue est à vous couper le souffle. De là, on surplombe la monstrueuse normale 5 de 605 verges. L'étroitesse du tracé au cours des premières verges, associée à la présence de boisés de chaque côté de l'allée, exige un coup de départ très précis. Puis, l'allée s'ouvre dans toute sa largeur, bordée d'un immense champ de maïs sur sa gauche et parsemée de fosses de sable. De plus, un ruisseau traverse également l'allée à plus de 350 verges des jalons arrière.

Une bonne évaluation de la distance à franchir avec votre premier coup est donc d'une importance capitale, car l'imposante dénivellation permettra à votre coup de départ de vous rapprocher de ce ruisseau. En outre, le second coup requiert tout autant de précision et de stratégie puisque d'autres fosses, stratégiquement positionnées, vous y attendent. Le vert en agrostide, bordé à l'arrière par un énorme monticule, et protégé à l'avant par trois autres obstacles de sable, présente de très importantes ondulations. Cette normale, sans contredit impressionnante, demeure néanmoins atteignable en trois coups. Ce qui vous permet d'espérer une normale ou peut-être même un oiselet. 🏁

NORMALE 72 – DISTANCE : 7 103 VERGES – SLOPE : 132 – ÉVALUATION : 73,2

CLUB DE GOLF
Owl's Head

De concert avec la beauté généreuse des Appalaches qui se déploient en mille et un tableaux panoramiques, la région des Cantons-de-l'Est offre un mélange subtil de paysages enchanteurs et de villages pittoresques aux influences anglo-saxonnes. Bien loin de la cohue des grandes villes, le club de golf Owl's Head, à Mansonville, s'inscrit au cœur même de cette nature grandiose.

Situé à proximité du lac Memphrémagog, plus précisément au pied du versant ouest du mont Owl's Head, le parcours du même nom nous convie à un spectacle visuel extraordinaire. Tout au long du parcours, une vue panoramique nous offre à l'horizon les plus hauts sommets environnants, dont l'impressionnant Jay Peak, du côté américain, sur lequel on peut apercevoir de la neige jusqu'en juin.

En saison estivale, le vert domine la nature dans toute sa splendeur. Une fois la fraîcheur automnale installée, les montagnes et les forêts voisines s'enveloppent de chaudes teintes orangées, enflammées de rouge vif, tandis que les allées bordées de conifères brillent de tous leurs feux. Le coup d'œil est inoubliable, et que dire de l'expérience de golf si ce n'est qu'elle est tout aussi mémorable.

Le créateur de ce parcours, Graham Cooke, a d'abord été conquis, puis inspiré, par les montagnes des environs. Le décor donne au premier coup d'œil une impression de gigantisme, avec ses sommets culminants à plus de mille mètres d'altitude et ses lacs d'origine glacière. Confortablement aménagé au creux d'une vallée, le tracé de Owl's Head ne possède que quelques-unes de ces habituelles dénivellations abruptes que l'on attribue généralement aux parcours de montagne.

Depuis son ouverture, en 1992, ce dessin de Graham Cooke est considéré comme l'un des plus réussis du renommé architecte. Avec ses 6 671 verges, cette normale 72 étonne du début jusqu'à la fin. Le parcours de golf Owl's Head présente un neuf d'aller caractérisé par de denses boisés, essentiellement composés de sapins, de pins et de cèdres. Les trous ont des touches plutôt traditionnelles sans pour autant tomber dans le cliché.

À l'inverse, le neuf de retour surprend et offre un véritable défi à relever car l'omniprésence de l'eau ne passe pas inaperçue ; les marécages et les lacs ajoutent aussi à la difficulté. En ce sens, du 14e au 17e trous inclusivement, tout semble évoluer autour d'une vaste étendue d'eau centrale, favorisant ainsi des points de vue remarquables. La presqu'île du 16e trou, normale 3 de 150 verges, se distingue également par son magnifique décor qui n'est pas très rassurant pour un joueur en raison des difficultés de ce trou.

La diversité et l'équilibre de cette oeuvre se veulent particulièrement équitables dans l'optique où M. Cooke récompense les bons coups et pénalise les moins bons. Bien que certains trous soient coudés, tant sur la droite que sur la gauche, cela n'implique pas nécessairement l'exécution d'un coup à l'aveuglette. L'architecture des fosses de sable profondes en silice blanche et des verts aux dimensions moyennes présentent également des similitudes intéressantes.

Entièrement ensemencé d'agrostide, le parcours de golf Owl's Head offre des conditions de jeu incomparables et témoigne d'un grand souci du détail. Pour conclure, le 18e trou propose une impressionnante normale 4 de 435 verges, qui nous entraîne dans une allée ascendante parsemée d'obstacles de sable disposés avec stratégie, ainsi qu'un vert très profond sur trois paliers.

Un des éléments qui fait de cette normale 72 un défi considérable repose sur la difficulté des verts. En ce sens, les dix-huit verts du parcours sont généralement bien protégés, certains par leur élévation, leurs profondes fosses de sable ou encore par leurs obstacles d'eau à contourner. De plus, à la lecture des coups roulés, on oublie parfois l'influence des montagnes des alentours sur le roulement de la balle.

À CHACUN SA SIGNATURE

Le 8e est le trou le plus difficile du parcours mais aussi le plus spectaculaire. Avec ses 520 verges descendantes, cette normale 5 a de quoi intimider plus d'un joueur. Du tertre de départ, nous jouissons d'une superbe vue sur l'imposant pavillon central, fait de pierres des champs et de poutres de pin de la Colombie-Britannique. Nous apercevons aussi le mont Owl's Head dans toute sa splendeur.

Un immense lac borde le côté gauche de l'allée ; il faut donc inévitablement frapper un long coup de départ dirigé vers le côté droit de celle-ci. Pour ceux qui privilégient les tertres de départ avancés, le lac s'avère encore davantage en jeu à ces endroits ; alors il vaut mieux assurément viser la droite de l'allée. Le vert est accessible en deux coups ; toutefois méfiez-vous du lac et des fosses de sable qui le protègent. ❧

NORMALE 72 – DISTANCE : 6 671 VERGES
SLOPE : 129 – ÉVALUATION : 72,1

CLUB DE GOLF
Royal Laurentien

Au fil des saisons, la région des Laurentides nous révèle les charmes de son cadre naturel enchanteur. Avec ses grands espaces et ses magnifiques montagnes, nos paysages laurentiens valent à eux seuls le détour. Il n'est donc pas étonnant que près d'une cinquantaine de parcours de golf se soient installés au cœur de ce relief changeant, aux panoramas saisissants. Au second rang en ce qui a trait au nombre de clubs de golf, cette région touristique à de quoi inspirer bon nombre de golfeurs, notamment ceux du Royal Laurentien.

Situé à proximité de la route 117, à Saint-Faustin-Lac-Carré, le club de golf Royal Laurentien est en soi une fascinante histoire. Gabriel, le patriarche de la famille Ménard, a conçu et réalisé lui-même ce tracé unique de dix-huit trous, né d'une passion débordante pour le golf. Golfeur prolifique dans la région au cours des années 70 et 80, M. Ménard rêvait, comme bien des fervents de ce sport, de posséder son propre parcours. Il fit donc l'acquisition d'un vaste terrain boisé et montagneux totalisant plus de 800 acres. Puis, avec le temps, l'homme d'affaires élabora un ambitieux plan d'exploitation.

Inspiré par quelque 300 coupures de magazines qu'il avait amassées et par sa détermination sans borne, Gabriel Ménard, appuyé par sa conjointe Jocelyne et leurs trois enfants, entreprit la concrétisation de ce rêve. En 1983, il survola ses terres en hélicoptère, muni d'un appareil photo, afin de concevoir un plan topographique des lieux. C'est donc à partir de ces photos aériennes, étalées sur la table de la cuisine familiale, que l'architecte en herbe dessina les premiers départs, allées, obstacles et verts de ce qui allait devenir le club de golf Royal Laurentien que l'on connaît aujourd'hui.

Le tracé du Royal Laurentien propose un défi considérable à relever quel que soit votre niveau de jeu : il s'étend sur plus de 6 800 verges et il est parsemé de plus de 90 fosses de sable, et de différents plans d'eau sur 15 de ses trous. Un choix de 5 couleurs de jalons de départ présente des différences de distances significatives les unes par rapport aux autres et contribue à rendre le défi encore plus ardu. Il est aussi important de mentionner que les deux neuf trous s'imposent par leur différence topographique marquante.

À vrai dire, on considère que les 12 premiers trous sont accidentés, boisés et s'apparentent davantage à un parcours de montagne. Les trous suivants sont situés au fond de la vallée et déploient une surface de jeu relativement plus plane. Cette normale 71 offre un parcours équilibré où chacun des trous permet une certaine marge de manœuvre, à condition que le joueur utilise à bon escient son jugement et ses capacités de précision, relativement à la stratégie et à la distance à franchir.

Le panorama de ce relief montagneux, composé de sommets et de lacs, se dévoile dans un décor des plus impressionnants. La forêt dense qui abrite le Royal Laurentien lui confère un environnement très boisé, isolant les quatuors dans un calme fort appréciable. Le ruissellement des cours d'eau à travers les allées, les chutes et les fontaines qui agrémentent la vue, de même que les plates-bandes aux multiples coloris ajoutent une note de gaieté à la beauté incontestable des lieux.

En outre, on dénote un grand souci du détail à l'approche de certains plans d'eau ou des tertres de départ bordés de grosses pierres ; ou encore à la vue de ces jolis ponts de bois, dont l'un est couvert et peint en rouge entre les 13e et 14e trous. Dans l'ensemble, vous y observerez une faune riche où grands hérons, chevreuils et rats musqués se côtoient, et une flore colorée dont les formes et les contours sont dessinés de main de maître. Le club de golf Royal Laurentien est

l'aboutissement d'une détermination exemplaire et d'une extraordinaire persévérance malgré plusieurs obstacles de taille rencontrés au cours de sa réalisation.

Depuis qu'il a accueilli ses premiers joueurs à l'été 1989, le Royal Laurentien, jouit d'une réputation enviée, grâce surtout à ses conditions de jeu supérieures. Et cette renommée, année après année, perpétue encore aujourd'hui cette tradition de qualité reconnue à travers le Québec et le Canada. Avec ses aires d'exercice sur gazon naturel, son concept d'hébergement innovateur, ses chalets locatifs et son projet domiciliaire unique, le club de golf Royal Laurentien continue d'ajouter des lettres de noblesse à son renom.

À CHACUN SA SIGNATURE

Le 17ᵉ trou du Royal Laurentien avec ses 191 verges et sa verte presqu'île restent habituellement gravés longtemps dans la mémoire des golfeurs. Mieux vaut ne pas se laisser trop impressionner par la beauté des lieux et par les obstacles désarçonnants de cette normale 3. On suggère donc de choisir un fer de plus, notamment par grand vent, pour atteindre le vert que protègent un lac situé devant et des fosses de sable tout autour. La moindre erreur de jugement ou d'exécution quant à ce trou vous condamnera fatalement à signer un boguey dans le meilleur des cas. 🏌

NORMALE 71 — DISTANCE : 6 800 VERGES — SLOPE : 128 — ÉVALUATION : 71,8

CLUB
Saguenay-Arvida

EN CE PAYS DE FORÊTS, DE RIVIÈRES ET DE LACS, LE
ROYAUME LÉGENDAIRE DE «SAGUENAY» — QUI
SIGNIFIE EN LANGUE MONTAGNAISE «D'OÙ L'EAU
SORT» — S'ÉTEND SUR LE PLUS VASTE TERRITOIRE
RURAL AU QUÉBEC. SES ÉPAIS BOISÉS, LE CARACTÈRE
UNIQUE DE SON FJORD ET DE SA RIVIÈRE CONFÈRENT
À CETTE RÉGION UN ENVIRONNEMENT NATUREL
EXCEPTIONNEL QUI EN FAIT LA GRANDE FIERTÉ
DE TOUT UN PEUPLE. C'EST DANS CE DÉCOR EN-
CHANTEUR, SITUÉ EN BORDURE MÊME DE LA FA-
BULEUSE RIVIÈRE SAGUENAY, QUE LE CLUB DE GOLF
SAGUENAY-ARVIDA S'EST ÉTABLI EN 1943. CRÉÉ À
L'ORIGINE PAR L'ARCHITECTE DE RENOM STANLEY
THOMPSON, CE TRACÉ DE DIX-HUIT TROUS PRÉSENTE
UN STYLE QUI S'APPARENTE À CELUI QUE L'ON
RETROUVE EN ÉCOSSE.

Si on considère les multiples buttons qui parsèment ses allées, rendant celles-ci inégales, ses entrées très étroites pour accéder aux verts, qui ont la forme d'un entonnoir, ses nombreuses ondulations et variations de dénivellation, il n'est pas du tout étonnant que ce parcours entre dans la catégorie des tracés aux influences écossaises. Initialement construit en deux phases, le dessin de Stanley Thompson a évolué avec le temps tout en respectant la philosophie de son créateur. Après la réalisation des premiers neuf trous par M. Thompson lui-même, on a confié quelques années plus tard au concepteur de golf John Watson la création des neuf trous suivants. Le tout fut achevé en 1961.

Depuis ce temps, le parcours de 6 240 verges s'impose par son style vraiment particulier et le splendide décor dans lequel il évolue. À première vue, cette courte normale 70 nous laisse faussement entrevoir la possibilité d'une certaine facilité, mais attention car le Saguenay-Arvida nous réserve bien des surprises. Il est à noter que la configuration de ce parcours compte seulement deux normales 5, les 6e et 13e trous, respectivement de 500 et 497 verges de longueur, ainsi que quatre normales 3 mesurant entre 140 et 233 verges.

À cela s'ajoutent les particularités architecturales du dessin de Stanley Thompson, tel l'ensemble accidenté bien reconnaissable de ce parcours. En ce sens, on remarque que certaines allées du plateau supérieur ou bien celles qui longent le Saguenay, au creux de la vallée, présentent des dénivellations considérables. En plus d'être étroites, ces allées ont la vilaine tendance à vous laisser croire que tout est possible car elles se présentent parfois dénuées d'obstacles.

Cependant, il faut une bonne dose de stratégie et d'adresse pour maintenir une carte de pointage satisfaisante. De plus, vous ne devez absolument pas sous-estimer les verts. Ceux-ci présentent des ondulations sous tous leurs angles, et il ne faut pas oublier de mentionner la petitesse de leur surface de jeu qui occasionne généralement bien des soucis. Le club de golf Saguenay-Arvida nous initie, par ses conditions de jeu impeccables, à du golf de grande qualité. Par ailleurs, que dire de ses panoramas à la fois grandioses et éloquents ? La vue féerique que nous offre bon nombre de tertres de départ et la terrasse du pavillon surplombant le parcours nous permettent d'admirer infiniment un espace de verdure remarquable.

La nature de ce parcours réside dans la beauté même de son site : la présence de l'imposante rivière Saguenay, réapparaissant à maintes reprises au cours de la partie, ses boisés témoignant d'une longue histoire, et ses plans d'eau que l'on découvre sur six des 18 trous. En outre, à l'arrivée du printemps, les sommets encore enneigés des montagnes des alentours, tels les Monts-Valin sur l'autre rive, enrichissent le spectacle visuel de leurs beautés au grand plaisir des golfeurs.

À CHACUN SA SIGNATURE

Au départ d'une impressionnante normale 3 de 233 verges, soit au 12e trou, il est fortement conseillé de ne pas se laisser distraire par la vue panoramique. De chacun de ses tertres de départ surélevés, notamment les plus reculés, le décor est tout simplement grandiose, et parfois même troublant. En toile de fond, on aperçoit la rivière Saguenay et, sur l'autre rive, Chicoutimi-Nord avec ses terres et ses sommets.

L'allée est bordée de chaque côté d'un boisé qui semble attendre la venue de balles égarées ! Le côté gauche présente aussi son lot de difficultés attribuables à une épinette majestueuse et à deux fosses de sable stratégiquement placées. Il s'avère alors essentiel de privilégier un coup de départ orienté davantage vers le centre droit du tracé. Dans tous les cas, n'hésitez pas à contempler ne serait-ce que pendant quelques secondes, l'admirable paysage que ce trou vous invite à admirer. ✿

NORMALE 70 – DISTANCE : 6 240 VERGES
SLOPE : 126 – ÉVALUATION : 69,5

LE GOLF AU FÉMININ

COLLABORATION SPÉCIALE DE SERGE NADEAU

La plus ancienne et la plus connue des golfeuses d'autrefois fut Marie reine d'Écosse au XVIᵉ siècle. Après la mort de la reine, le golf sera très peu pratiqué par les femmes jusqu'à la fin du XIXᵉ siècle. En 1893, les principales associations féminines de golf se regroupent pour créer finalement la Ladies Golf Union. Le premier championnat amateur féminin de Grande-Bretagne a opposé en1893 les deux golfeuses favorites de l'époque : Margaret Scott et Issette Pearson. La victoire de Margaret Scott fera d'elle un modèle pour une clientèle féminine trop longtemps réduite, à un rôle de spectatrice, dans un environnement dominé par les hommes.

Le golf féminin prendra définitivement son envol au cours de cette période. Le premier championnat féminin des États-Unis se déroulera en 1895. Il est intéressant de noter que le premier match féminin interclubs au Canada verra s'affronter le Royal Montréal et le Royal Québec un an avant le championnat américain. Trois ans plus tard, les premières confrontations interprovinciales, Québec-Ontario, sont disputées au Toronto Golf Course et remportées par les représentantes du Québec. Ainsi, le golf féminin se dirige à coup sûr vers des compétitions internationales entre différents pays.

Le golf féminin s'internationalise

Au tout début du XXᵉ, les sœurs Harriet et Margaret Curtis ont contribué à leur façon à l'essor du golf aux États-Unis. En 1905, elles ont affronté les meilleures golfeuses britanniques, en Angleterre. En 1932, il y eut une première compétition officielle entre la Grande-Bretagne et les États-Unis, et les golfeuses s'efforcèrent d'y remporter la coupe Curtis en l'honneur évidemment des sœurs du même nom.

En 1910, la golfeuse britannique, Cecil Leitch, après avoir remporté une victoire contre un homme, le golfeur Harold Hilton, devint un modèle grâce à son talent et à sa tenue vestimentaire décontractée, contrastant avec les normes sévères de l'époque. Après les succès de Cecil Leitch en Angleterre et des sœurs Curtis aux États-Unis, le golf féminin a vu apparaître deux nouvelles étoiles, la Britannique Joyce Wethered et l'Américaine Glenna Collett.

En 1920, Joyce Wethered, âgée de 20 ans, se mesura à la favorite britannique Cecil Leitch en finale du championnat amateur, exclusivement britannique. Joyce Wethered remporta cette finale après avoir surmonté un déficit de six trous. Ce fut le début de la fin pour Cecil Leitch et le commencement d'une courte et glorieuse carrière pour Joyce Wethered.

L'Américaine Glenna Collett, quant à elle, a remporté à l'âge de 19 ans le championnat amateur américain. De 1922 à 1930, elle a gagné cette compétition cinq fois de suite. Dans un match qualifié à l'époque de match du siècle, Joyce Wethered sortit de sa retraite pour participer à son dernier championnat amateur britannique, en 1929, sur le vénérable Old Course de Saint Andrews. La finale opposa Mmes Wethered et Collett, et la victoire de Joyce Wethered au 35e trou devant une foule partisane et presque hystérique est entrée dans la légende.

Babe Zaharias

Babe Zaharias a connu une carrière sportive sans égale. En 1932, aux Jeux olympiques de Los Angeles, elle remporta cinq médailles d'or en athlétisme. Babe Zaharias remporte sa première victoire d'importance au championnat amateur féminin du Texas en battant Peggy Chandler en finale. La famille Chandler a alors porté plainte à la USGA, prétendant que Mme Zaharias devait être considérée comme une sportive professionnelle car elle avait déjà amassé des revenus provenant d'autres sports, et cela allait à l'encontre du statut d'amateur.

Voilà pourquoi Babe Zaharias dut patienter cinq ans, de 1938 à 1943, avant d'être réintégrée dans les compétitions à titre d'amateur. En 1946, Babe Zaharias remporta le championnat amateur américain ainsi que treize compétitions à travers le pays. En 1947, elle devint la première Américaine à décrocher le championnat amateur britannique. Deux ans plus tard, en 1949, elle a créé avec l'aide de Patty Berg et de Fred Corcoran la Ladies Golf Professional Association (LPGA). En 1950, Babe Zaharias gagna cinq des onze tournois de la LPGA, incluant l'Omnium américain.

En 1953, atteinte d'un cancer, la golfeuse profita d'un long séjour à l'hôpital pour récupérer ses forces. Elle s'attaqua ensuite avec détermination à la saison 1954. Son plus cher désir était de remporter pour une troisième fois l'Omnium américain. Au cours de ce tournoi, Babe Zaharias, jumelée avec la championne américaine junior Mickey Wright, remporta aisément la compétition. Après quelques victoires au début de la saison 1955, elle se retira de nouveau pour obtenir des soins de santé appropriés. C'est en septembre 1956, à l'âge de 42 ans, que Babe Zaharias rendit l'âme.

1955-1965 Domination de Mickey Wright

Au milieu des années 50, après le décès prématuré de Babe Zaharias, Mickey Wright, une jeune golfeuse de 19 ans, devint golfeuse professionnelle. De 1956 à 1959, Mickey remporta treize victoires, y compris trois tournois majeurs. Mais c'est le début des années 60 qui la fera entrer dans la légende. De 1960 à 1964, Mickey Wright a gagné une cinquantaine de tournois.

La reine se retire… vive la reine

En 1979, à sa dernière véritable saison sur le circuit de la LPGA, Mickey Wright s'inscrivit à la Classique Coca-Cola et réussit alors à terminer la compétition à égalité avec quatre autres golfeuses, dont Nancy Lopez. Au deuxième trou supplémentaire, Nancy Lopez inscrivit un oiselet qui lui procura la victoire. Quelques années plus tard, Nancy déclara : «Lors de la prolongation en 1979, j'étais intimidée à l'idée d'affronter la plus grande golfeuse que j'aie vue à l'œuvre dans ma vie, Mickey Wright». Par ailleurs, Nancy Lopez deviendra la coqueluche du circuit féminin en raison de son talent, de sa simplicité et de sa personnalité attachante.

CLUB DE GOLF
Saint-Laurent

À QUELQUES MINUTES SEULEMENT DU CENTRE-VILLE DE QUÉBEC, LE PETIT VILLAGE INSULAIRE DE SAINT-LAURENT EST ENTOURÉ DU FLEUVE DU MÊME NOM. DE MAGNIFIQUES AUBERGES, DES GALERIES D'ART ET DE FINES BOUTIQUES, AMÉNAGÉES DANS LE CADRE VERDOYANT ET MARITIME DE L'ÎLE D'ORLÉANS, LONGENT LES PETITES ROUTES EN BORDURE DE L'EAU. C'EST DANS CE HAVRE DE PAIX, LOIN DES FOLIES ET DES BRUITS DE LA VILLE, QUE LE PARCOURS DE GOLF SAINT-LAURENT DÉVOILE SES CHARMES.

Les premiers colons de la Nouvelle-France choisirent ce site particulier pour y bâtir leur colonie, en 1679, à cause de ses terres fertiles et de ses étendues d'eau. L'endroit porta le nom de Saint-Paul jusqu'en 1698, puis celui de Saint-Laurent par la suite, et il fait partie intégrante de l'arrondissement historique de l'Île d'Orléans. Dès la traversée de son unique pont, l'île déploie ses multiples beautés. Ses paysages extraordinaires s'illuminent au gré des saisons, arborant dans une grande harmonie du vert, du jaune, du rouge et les autres tonalités automnales pour le plus grand bonheur des visiteurs.

L'île de Félix Leclerc s'anime ici et là entre les terres agricoles, les alignements de maisons québécoises aux allures traditionnelles, le port de plaisance et les vestiges de l'ère du chantier maritime. Située à un peu plus de trois kilomètres au large de la ville de Sainte-Anne-de-Beaupré, l'Île d'Orléans nous propose un parcours de 18 trous tout à fait exceptionnel, le club de golf Saint-Laurent. D'une longueur totale de 6 977 verges, cette normale 72 présente un défi pour tous les calibres de golfeurs. Initialement conçu, en 1973, pour le plaisir exclusif de ses membres, le parcours accueille dorénavant les amateurs d'un jour depuis 1978.

En plus de sa situation géographique privilégiée, le caractère particulier que l'on attribue au club de golf Saint-Laurent est l'œuvre du dessinateur de parcours Howard Watson. À en juger par l'emplacement stratégique de certains obstacles par-semant le terrain, et si on considère la grande diversité de chacun de ses trous, il n'est pas du tout surprenant que ce parcours ait été construit, à l'époque, pour la compétition professionnelle.

Les allées du parcours Saint-Laurent se déploient dans toute leur largeur, accordant ainsi aux golfeurs une certaine marge d'erreur. Toutefois, gare aux verts qui exigent finesse et précision, puisqu'ils sont courts et généralement très ra-pides. À cela s'ajoute le souffle de Dame Nature qui se permet à l'occasion certains excès. Ce qui peut devenir rapidement un enjeu important quant à la marque qu'on espère obtenir.

Le tracé, construit en majeure partie sur un plateau, nous dévoile toute la diversité des panoramas environnants : de la forêt au fleuve, des hauts sommets jusqu'aux plaines. Bien que certains trous soient à découvert, surtout ceux qui entourent le pavillon, d'autres nous proposent une véritable excursion dans les bois au cœur de végétaux en pleine maturité. Les plus belles vues permettant d'embrasser l'ensemble du paysage se retrouvent principalement aux 5ᵉ, 6ᵉ, 7ᵉ et 10ᵉ trous, à cause de l'orientation vers le sud de ce terrain en pente.

À partir des tertres de départ de ce parcours, on peut contempler les paysages tout à fait majestueux du fleuve et ses visiteurs de passage, tels les nombreux navires et voiliers qui sillonnent le chenal. Par beau temps, il est également

possible d'apercevoir à l'horizon, Saint-Michel, les champs agricoles et la chaîne des Appalaches qui se découpent au loin sur le bleu intense du ciel. D'autre part, sur les trous orientés vers le nord, la place de choix est réservée au majestueux mont Sainte-Anne.

À CHACUN SA SIGNATURE

Le tracé du 6e trou nous offre l'un des plus beaux points de vue à 360°, sur la magnifique campagne québécoise, sur les terres et le fleuve. L'allée coudée sur la droite, pratiquement à angle droit, nous rappelle que la stratégie et la prudence sont essentielles dans la réussite de cette normale 4 de 118 verges. Le vent est généralement un élément important dans la façon d'aborder ce trou. Par conséquent, le choix du premier bâton est primordial.

L'allée descendante, ses deux fosses de sable sur la droite, et le ruisseau qui traverse l'allée à la hauteur des 66 verges, n'aident en rien la stratégie à adopter. Le défi est de taille, mais la réussite de cette normale est d'autant plus gratifiante. Une petite suggestion : il est beaucoup plus facile d'entrer sur le vert, lequel est légèrement incliné vers l'arrière et protégé par deux fosses de sable, par la gauche de l'allée. ✍

NORMALE 72 – DISTANCE : 6 977 VERGES
SLOPE : 130 – ÉVALUATION : 73

CLUB DE GOLF
Saint-Georges

LE CLUB DE GOLF SAINT-GEORGES INSCRIT SES LETTRES DE NOBLESSE DEPUIS 1960, ANNÉE DE SA FONDATION, ET ARBORE FIÈREMENT LA REPRÉSENTATION DU COURAGEUX CHEVALIER GEORGES QUI, SELON LA LÉGENDE, ÉTAIT UN SAINT QUI TERRASSA UN DRAGON POUR SAUVER UNE PRINCESSE.

Tout l'honneur d'avoir créé ce parcours revient à Howard Watson, architecte de golf bien connu de cette époque. La région, le site et le dessin même du tracé s'harmonisent à la perfection pour créer un ensemble qui plaît incontestablement aux golfeurs de tous les calibres.

Située dans la région touristique de Chaudière-Appalaches, la Beauce offrait un cadre exceptionnel à la réalisation d'un tel 18 trous. Les multiples boisés composés d'une grande variété de feuillus et de conifères, dont plusieurs espèces d'érables, confèrent à l'endroit un caractère typique. Entre les vallées et les plateaux, qui occupent le territoire et longent la rivière Chaudière, s'étalent à perte de vue des champs qui abritent des maisons, des fermes, des moulins à scies et différentes cultures.

Et que dire des coloris saisonniers qui varient au gré des humeurs de Dame Nature et qui offrent à chaque fois un charmant spectacle pour nos yeux? Le club de golf Saint-Georges, situé dans la municipalité du même nom, convie les golfeurs à une expérience de golf digne des origines les plus traditionnelles de ce sport. Construit sur un terrain d'une vaste étendue, chacun des 18 trous semble évoluer à l'écart des autres, dans l'intimité.

Ce parcours éprouvé, qui n'a pas de chevauchement à découvert ni de va-et-vient à contresens, serpente à travers ce large espace et isole les allées les unes des autres; ce que les golfeurs apprécient considérablement. Le tracé étendu des allées à la fois planes et accueillantes, parfois arquées, vient s'ajouter à l'équilibre général du parcours. Les verts forment un ensemble de cibles légèrement surélevées, peu ondulées, offrant une grande surface, et même une immense dans le cas des 10e et 11e trous.

Par contre, certains jours, l'emplacement des drapeaux peut influencer de façon significative toute carte de pointage. Certains obstacles de sable et même d'eau, dont la rivière Famine qui longe cinq des trous du retour, se révèlent tactiquement à la portée de bien des coups de départ. À partir des tertres les plus reculés, on constate que les immenses fosses, surélevées de l'avant vers l'arrière de manière à cueillir toute balle allant dans cette direction, sont en jeu à diverses étapes de la partie.

Le club de golf Saint-Georges se veut équitable, sans comporter trop de difficultés significatives. D'ailleurs, aucun coup à l'aveuglette n'est nécessaire, ce qui ne veut pas dire que le parcours est facile. En ce sens, on dit qu'il récompense généralement les bons coups et punit les plus mauvais. Sur ce magnifique parcours beauceron, il n'en tient qu'à vous d'y effectuer 18 oiselets… ou encore 18 bogueys!

Outre la qualité d'entretien hors pair du parcours Saint-Georges, on y remarque un impressionnant souci du détail à divers niveaux. On observe notamment l'ajout constant d'espèces florales, la plantation de jeunes feuillus, le soin esthétique apporté aux sentiers et aux sous-bois, ainsi qu'à la tonte du gazon tant sur les verts que dans les allées.

De plus, un immense pont piétonnier, pour golfeurs et voiturettes de golf seulement, surplombe la rivière sur le neuf de retour. Par conséquent, les golfeurs traversent cette structure métallique géante et suspendue à deux reprises, après les 11e et 14e verts, ce qui leur permet de profiter en même temps d'un admirable panorama enchanteur.

À CHACUN SA SIGNATURE

Dès le premier trou, le parcours Saint-Georges ne laisse personne indifférent. Dotée d'un tracé de 369 verges, cette normale 4 n'est pas la plus spectaculaire ni la plus difficile qui soit, mais il n'en demeure pas moins que vous vous en rappellerez longtemps. Vu l'endroit où il est situé, le premier trou, bien souvent qualifié d'intimidant, met votre confiance et votre concentration à rude épreuve. Dans le même ordre d'idées, où que vous soyez sur l'un ou l'autre des tertres de départ proposés, on remarque la proximité de la terrasse et… des regards.

À défaut d'impressionner la galerie, la balle de plusieurs amateurs se retrouvera dans le boisé, longeant la droite de l'allée, ou pire encore dans le lac devant les tertres de départ. Finalement, on vous conseille de faire preuve d'un peu de sagesse, de calme et de retenue au moment de vous élancer pour viser le centre de l'allée, plutôt que de tenter de réussir le coup héroïque. Ainsi, vous éviterez les arbres et la fosse de sable bordant le côté droit de l'allée, de même que l'invitant lac à votre gauche.

En outre, quand vous approchez du vert, il est important d'évaluer adéquatement la distance à franchir, car les abords du vert sont protégés par deux fosses de sable à l'avant et un plan d'eau sur la droite. Dites-vous bien que malgré les apparences, il est possible d'inscrire sur ce premier trou une normale, et même un oiselet ! 🏌

NORMALE 72 – DISTANCE : 6712 VERGES
SLOPE : 125 – ÉVALUATION : 71,7

GOLF
Sainte-Rose

SITUÉ AUX ABORDS DE LA RIVIÈRE DES MILLE-ÎLES, À LAVAL, LE CLUB DE GOLF SAINTE-ROSE POSSÈDE TOUS LES INGRÉDIENTS INDISPENSABLES QUI LUI PERMETTENT DE NOUS DÉVOILER UNE NATURE GÉNÉREUSE D'UNE INCROYABLE BEAUTÉ. AU CŒUR DE CET ANCIEN SANCTUAIRE D'OISEAUX, MONTRÉAL NOUS SEMBLE BIEN LOIN. POURTANT, LA MÉTROPOLE N'EST QU'À VINGT MINUTES DE CE COIN DE PARADIS. LE CLUB DE GOLF SAINTE-ROSE EST SANS CONTREDIT LE LIEU DE PRÉDILECTION DU GOLFEUR QUI APPRÉCIE LES CHARMES INÉDITS DE LA VIE RURALE ET LA COMMODITÉ DES LIEUX BIEN AMÉNAGÉS, À PROXIMITÉ DE LA GRANDE VILLE.

Un parfum de nature, de boisés et de fleurs, réveille nos sens dès notre arrivée. Ici, seuls les chants des oiseaux et les quelques cris sourds des grenouilles géantes signalent leur présence. Parfois, quelques tortues, canards, renards et lapins sauvages qui habitent le parcours sont au rendez-vous. On remarque également au premier regard l'omniprésence des lacs et des marais, de plusieurs étangs et ruisseaux. Vous l'aurez certainement deviné, le golf Sainte-Rose se distingue notamment par ses plans d'eau que l'on retrouve sur la quasi-totalité de ses trous, soit sur 16 d'entre eux.

À cela s'ajoutent les splendides coloris multicolores des fleurs et autres végétaux qui ornent joliment le parcours. Ici, la nature abonde et procure au parcours une image de maturité établie depuis bien longtemps. À la variété des essences, à la taille et au nombre d'arbres qui s'intègrent au décor, on conçoit difficilement que la réalisation de ce parcours ne remonte qu'à l'automne 1996. Quoi qu'il en soit, il ne fait aucun doute que cette normale 70 a su rapidement se distinguer parmi les plus beaux parcours de la province.

Conçu d'après les plans de l'architecte John Watson, ce tracé de 18 trous de 6 134 verges fut modifié à l'été 2004 en ce qui concerne la séquence des trous afin d'améliorer le temps de jeu. Malgré sa longueur, cette normale 70 n'en demeure pas moins une expérience de golf intéressante pour tous les calibres de joueurs. Amateurs ou professionnels, tous conviennent de l'étroitesse des allées qui ne laissent que bien peu de place à l'erreur.

Le parcours Sainte-Rose nous tient manifestement en haleine du début à la fin, avec ses nombreux obstacles d'eau ornés de hautes quenouilles, ses fosses de sable placées dans des endroits stratégiques et ses boisés touffus bordant plusieurs des trous. S'adjoignent à cela les diverses ondulations des verts et leur rapidité. Par conséquent, il est préférable de ne pas se laisser impressionner mais d'utiliser plutôt une excellente stratégie afin de relever brillamment le défi. D'un vert impeccable, le parcours se démarque grandement par ses conditions de jeu incomparables.

La couleur, la texture et la vitesse de roulement des verts, entièrement semés d'agrostide, répondent également aux normes recherchées par les véritables passionnés du golf. En outre, une équipe d'entretien s'affaire sur les verts tous les matins afin de brosser le gazon, de le tondre à la main avec une tondeuse à tête flottante, ce qui élimine entièrement la rosée matinale. Tout à fait conscient de la grande richesse de son site naturel, ce club de golf lavallois vit en parfaite harmonie avec son environnement et veille constamment à sa préservation.

À CHACUN SA SIGNATURE

Avec ses 519 verges, le 10e trou du parcours Sainte-Rose nous offre une normale 5 de toute beauté. De ses tertres de départ surélevés, vous aurez une vue imprenable sur ce tracé légèrement descendant et coudé sur la gauche de l'allée. Un coup de départ bien centré vous évitera tous les tracas potentiels que vous réserve le côté droit de l'allée, dont la forêt dense longe la rivière des Mille-Îles.

Par la suite, selon la longueur et l'emplacement de votre première exécution, il est possible qu'un second coup soit amplement nécessaire pour atteindre le vert en deux et de là, vous pourrez bénéficier d'une chance d'inscrire une normale, un oiselet ou encore un aigle ! Toutefois, choisissez votre bâton avec grand soin lors du deuxième coup et faites bien attention au plan d'eau qui traverse l'allée. Puis, élancez-vous !

NORMALE 70 — DISTANCE : 6 134 VERGES
SLOPE : 125 — ÉVALUATION : 70

CLUB DE GOLF

THE FALCON

LE CLUB DE GOLF THE FALCON, AVEC SON PAYSAGE EXCEPTIONNEL PEUPLÉ D'ARBRES CENTENAIRES, SE PRÉSENTE SOUS NOS YEUX RAVIS COMME UNE OASIS DE VERDURE. EN EFFET CE DIX-HUIT TROUS, SIS DANS LA PETITE MUNICIPALITÉ ANGLOPHONE D'HUDSON, AU CŒUR MÊME D'UNE VASTE FORÊT, IMPRESSIONNE PLUS D'UN VISITEUR PAR LA DENSITÉ ET LA VARIÉTÉ DE SA VÉGÉTATION. LE DERNIER-NÉ DE LA MONTÉRÉGIE COMPORTE TOUTES LES CARACTÉRISTIQUES PROPRES À UN CLUB PRIVÉ HAUT DE GAMME SANS POUR AUTANT EXIGER DES SPORTIFS UN PRIX EXORBITANT. AU CLUB DE GOLF THE FALCON, ATTENDEZ-VOUS À VIVRE UNE EXPÉRIENCE OÙ LE MOT QUALITÉ PREND TOUT SON SENS EN CE QUI CONCERNE LE DESIGN, L'ENTRETIEN ET LE SERVICE À LA CLIENTÈLE.

Ouvert au printemps 2002, ce parcours de 7 081 verges porte la signature du réputé architecte québécois Graham Cooke. Le tracé de cette normale 72 de style traditionnel a su tour à tour mettre en valeur et préserver tout le charme et la beauté naturelle du site. Des allées s'imposent dans un mouvement long et continu entremêlées de multiples collines, de buttons parsemés de graminées et d'arbres gigantesques.

À la magnificence de ce spectacle se greffent quelque 17 fosses naturelles et plusieurs plans d'eau qui ajoutent à l'esthétique du parcours et en agrémentent d'autant le coup d'œil. De plus, les premier, second, dixième, onzième et seizième trous sont bordés de maisons de prestige, ce qui contribue à la splendeur du paysage tout en insufflant aux lieux une sérénité à nulle autre pareille.

Le club de golf The Falcon propose un parcours incluant plusieurs allées coudées ainsi qu'un trio de trous qui se distinguent de l'ensemble. En effet, les douzième, treizième et quatorzième trous, dissimulés au creux d'une vallée où serpentent des plans d'eau, se révèlent être en quelque sorte les points les plus critiques du parcours, ou comme on le dit plus communément dans le jargon des golfeurs : le « amen corner » du terrain. Bien que la nature y soit différente, elle n'en conserve pas moins une certaine harmonie avec le reste du parcours.

Le dix-huit trous du club de golf The Falcon se singularise également par ses magnifiques fosses de sable blanc disposées de façon stratégique, par la qualité et l'entretien sans faille des allées et des verts constitués entièrement d'agrostide. D'ailleurs ces immenses verts aux multiples ondulations renferment un défi additionnel lancé aux joueurs pour ce parcours de championnat. Ces verts fermes et rapides sur lesquels on retrouve deux coupes de gazon différentes requièrent tout l'art et la précision de coups roulés soigneusement évalués.

À l'ensemble s'intègrent cinq tertres de départ dont les degrés de difficulté divers permettent d'accommoder les golfeurs de tous les niveaux de jeu. Ainsi, The Falcon plaît énormément aux plus aguerris sans toutefois restreindre injustement les joueurs moins expérimentés. Malgré sa prime jeunesse, ce parcours de golf jouit d'excellentes conditions de jeu, ce qui le gratifie sans contredit d'une réputation des plus enviables. Il séduit irrésistiblement ses visiteurs passionnés et inspire à la fois un air de majesté empreint de noblesse classique et dépourvu d'artifice. En somme du plaisir garanti pour tous !

Le douzième trou du club de golf The Falcon présente une superbe normale 3. D'une distance totale de 206 verges, ce trou signature s'avère le plus difficile des cinq normales 3 du parcours. Il requiert un coup de départ tactique afin d'éviter l'immense fosse de sable qui borde l'avant droit du vert et le lac également à droite. Jouer un coup trop long peut faire en sorte que votre balle se retrouve malencontreusement dans la fosse camouflée derrière la cible, ou pire encore, projetée dans l'obstacle d'eau à l'arrière du vert.

Une fois arrivé au drapeau, profitez-en pour admirer la vue imprenable tout autour et observez l'horizon attentivement, peut-être aurez-vous la chance alors d'y apercevoir le faucon pèlerin, ce remarquable oiseau de proie, figure emblématique par excellence du club.

NORMALE 72 – DISTANCE : 7 081 verges – SLOPE : 135 – ÉVALUATION : 73,5

GOLF *Tremblant,*
PARCOURS
LE DIABLE

AVEC SES HAUTS SOMMETS, SES FORÊTS LUXURIANTES
ET SES EAUX LIMPIDES, LA RÉGION DES LAURENTIDES
FAIT MIROITER LA BEAUTÉ DE SES ATTRAITS NATURELS
À CHACUNE DES SAISONS. CE VÉRITABLE PARADIS,
POUR LES AMOUREUX DES GRANDS ESPACES ET LES
PASSIONNÉS D'ACTIVITÉS DE PLEIN AIR, FIGURE
DÉSORMAIS PARMI LES DESTINATIONS TOURISTIQUES
LES PLUS PRISÉES À L'ÉCHELLE MONDIALE. À LA FOIS
PITTORESQUE ET EMPREINTE D'UN MODERNISME
BIEN ACTUEL, LA RÉGION DU MONT-TREMBLANT
ET SON CENTRE DE VILLÉGIATURE FIGURENT ASSU-
RÉMENT PARMI LES PLUS BEAUX PANORAMAS DE
GOLF AU QUÉBEC.

Avec des parcours aux noms aussi évocateurs que Le Géant, Le Maître, La Belle, La Bête, Le Manitou et Le Diable, il n'est aucunement surprenant que Tremblant s'impose en matière de golf haut de gamme. En ce sens, le parcours Le Diable étonne par sa normale 70 qui s'étend sur 7 056 verges de verdure parsemée d'obstacles divers. Créé en 1998, après seulement cinq mois de construction, Le Diable relève le défi architectural initial proposé par ses créateurs américains Michael Hurdzan et Dana Fry.

Ainsi, chacun des 18 trous de niveau championnat met inévitablement à l'épreuve toutes les catégories de golfeurs. Inspirés par le décor montagneux impressionnant et les points de vue majestueux qui surplombent les environs, les architectes et leur équipe se sont laissés influencer par l'esprit sublime du futur emplacement du parcours. D'ailleurs, le diable lui-même n'aurait pu trouver meilleur endroit pour jeter son dévolu sur des amateurs de golf !

Ce tracé, formé de vallons, de sable rouge, de paysages rocheux et de deux plans d'eau, est commodément installé sur une plantation de pins et d'épinettes, et demeure la seule création au Québec des réputés Michael Hurdzan et Dana Fry. Au premier coup d'œil, Le Diable se distingue par ses allées étroites et tortueuses et son style «Arizona», où de gigantesques fosses naturelles se retrouvent sur près de la moitié du

parcours. À cela s'additionnent plus d'une cinquantaine de fosses de sable qui par leur situation stratégique parviennent à piéger bon nombre de balles.

Les verts présentent pour leur part une diversité fort appréciable qui nécessite du golfeur un niveau de concentration incomparable. Certains verts, plutôt étroits, courts et bien protégés se révèlent tout simplement diaboliques. Les tertres de départ multiples, parfois surélevés, permettent d'accueillir toute une variété de golfeurs de différents calibres, leur réservant plusieurs surprises d'envergure. Bref, pour déjouer Le Diable, il faut faire preuve d'une grande finesse, de précision et de stratégie à chacun de vos coups.

Par son tracé, ses obstacles, son environnement et les qualités exceptionnelles de son entretien, Le Diable n'a absolument rien à envier à quelque terrain que ce soit. Sa recherche constante de la perfection fait de ce 18 trous, entièrement semé en agrostide, l'un des plus remarquables terrains de golf de la province. Il est d'ailleurs l'un des deux seuls parcours québécois à détenir quatre étoiles et demie décernées par le réputé Golf Digest, et ce, sans même mentionner les autres distinctions honorifiques obtenues jusqu'à ce jour.

En outre, on ne peut passer sous silence le fait que Le Diable a été l'hôte de l'important Skins Game Export A lors de sa seconde année d'exploitation, en 1999. Les amateurs de golf de chez nous ont ainsi pu voir évoluer certaines des plus grandes têtes d'affiche du circuit de la PGA : les Fred Couples, John Daly, David Duval et le Canadien Mike Weir.

À CHACUN SA SIGNATURE

Avec pour toile de fond le centre de villégiature Gray Rocks, sa montagne et le lac Ouimet, il n'est pas surprenant que le 15e trou soit celui qui se distingue le plus dans ce parcours. Totalisant 535 verges à partir des jalons arrière, cette normale 5 au panorama spectaculaire demeure facilement réalisable en respectant le nombre de coups réglementaires. Il est même fort possible d'y réussir un aigle ou un oiselet si le coup de départ est bien centré.

L'allée descendante permettra à un coup de départ bien exécuté de franchir une plus longue distance ; ce qui vous fournira l'occasion d'atteindre le vert à votre deuxième coup. Pour y parvenir, il vous faut à tout prix éviter les obstacles de sable placés stratégiquement le long du côté droit de l'allée. De plus, lors du coup d'approche au vert, on doit se méfier de la fosse de sable située à l'avant gauche du vert car elle peut nous occasionner bien des problèmes. Quoi qu'il arrive, profitez-en pour observer la vue spectaculaire que vous propose ce trou.

NORMALE 70 – DISTANCE : 7 056 VERGES   SLOPE : 135 – ÉVALUATION : 73

LES PREMIÈRES RÈGLES DU JEU

COLLABORATION SPÉCIALE DE SERGE NADEAU

Le livre des règlements des Gentlemen Golfers of Edinburgh.

Lorsqu'une activité ou un jeu quelconque désire se hisser au niveau compétitif, il devient primordial de créer des règles pour éviter les malentendus et pour favoriser le talent au détriment du hasard. C'est pourquoi en 1744, à l'occasion de la première compétition interclubs, les Gentlemen Golfers of Edinburgh rédigent les premiers règlements du jeu de golf qui seront reconnus et officialisés dix ans plus tard à Saint Andrews. En effet, vingt-deux compagnons de golf de ce club, réunis à la taverne « Blue Bull », s'entendent sur les treize premiers règlements de golf. Pour comprendre le sens de certaines de ces règles, il est important de se placer dans le contexte de l'époque. Essayons de saisir ensemble la nature et le pourquoi de deux de ces règlements, le premier et le septième.

Règlement n° 1

« Vous devez frapper votre balle à l'intérieur d'une longueur de bâton du trou précédent. »

En ce temps-là, il n'y avait pas de verts ou de tertres de départs délimités ou coupés comme aujourd'hui. Quelque part dans un champ, on creusait un trou qui avait la forme d'une coupe et qui pouvait selon les humeurs du golfeur être déplacé, soit parce que détérioré par la pluie, soit pour en utiliser la terre fraîche et humide pour se fabriquer un nouveau monticule, dans le but d'y déposer sa balle pour le prochain coup de départ.

Il est facile d'imaginer le piteux état du terrain autour des trous résultant d'un tel règlement : avec ce genre de surface, il devait être presque impossible de faire rouler aisément la balle dans le trou. Prenant conscience de cette problématique : celle d'effectuer le départ si près du trou précédent, les autorités délimitèrent en 1776 la surface du vert à quatre ou cinq longueurs de bâton. Plus tard en 1815, cette distance fut portée à quinze verges, améliorant ainsi la qualité du terrain autour de la coupe.

Règlement n° 7

« Vous devez frapper votre balle vers le trou avec honnêteté sans viser la balle de vos adversaires. »

Il est fort probable qu'à l'époque certains joueurs tentaient de jouer au croquet avec la balle de leurs adversaires dans le but de les éloigner du trou. Notons que l'esprit qui consiste à viser honnêtement ne comporte pas d'autre choix que de se fier à la bonne foi du joueur, comme aujourd'hui d'ailleurs. Et ce n'est qu'en 1951, donc tout récemment, que la possibilité de marquer votre balle sur le vert fut réglementée de façon officielle et définitive.

Un autre règlement, au début du siècle, concernant le fameux fer droit ou « putter Schenectady » divisera profondément les deux comités de règlements, c'est-à-dire le Royal & Ancient de Saint Andrews et la USGA (United States Golf Association). Ce fer droit utilisé en 1904 par Walter Travis lors de sa victoire au British Amateur est différent car la tige rejoint le centre de la tête au lieu de l'extrémité comme les autres. Le comité des règlements de Saint Andrews bannira ce type de bâton alors que le comité américain le déclarera conforme aux règles, et ce n'est qu'en 1951 que le comité de Saint Andrews déclarera le bâton légal.

Un règlement majeur fut celui de la légalisation de la tige d'acier en 1924. En effet, les dirigeants du Western Open, tournoi majeur de l'époque, autoriseront l'utilisation de la tige d'acier et influenceront ainsi la USGA en faveur de la nouvelle tige alors que le R&A de Saint Andrews ne la légalisera que cinq ans plus tard en 1929. Plusieurs règlements verront le jour et un grand nombre auront comme base la bonne foi du joueur ou de la joueuse.

Par exemple, le joueur professionnel Mark O'Meara remporte le trophée Lancôme à Paris en 1997, devançant le golfeur suédois Jarmo Sandelin par un coup. Six mois plus tard, M. O'Meara reçoit du gérant de M. Sandelin une cassette vidéo montrant Mark O'Meara replaçant sa balle un quart de pouce en avant de son marqueur au 15e trou de la ronde finale.

Même si M. O'Meara n'a pu que constater le fait sur vidéo, il déclara sans hésitation : « Mon intention était intègre et honnête et je n'avais pas besoin de ce quart de pouce pour effectuer un roulé de deux pieds ». Après avoir visionné la vidéo et entendu les explications de M. O'Meara, le commissaire Finchem déclara que la faute était sans conséquence car le joueur dans ce cas bien précis était de bonne foi.

Par ailleurs, la bonne foi ne peut pas toujours venir en aide au golfeur, et Roberto DeVicenzo a appris que la rigidité des règlements primait sur toute autre considération. En effet, au Tournoi des Maîtres de 1968, ce golfeur argentin, jumelé lors de la dernière ronde à Tommy Aaron, joua une ronde de 65 qui lui permit de se mesurer à Bob Goalby en prolongation. Lors de la remise des cartes de pointage, Tommy Aaron, le partenaire de jeu et responsable de la carte de DeVicenzo, commit l'erreur d'inscrire une normale 4 sur le trou n° 17 alors que DeVicenzo avait réussi un oiselet.

Roberto DeVicenzo ayant la mauvaise habitude de signer sa carte de pointage sans la vérifier, le pire arriva. Pour avoir signé une carte de pointage non conforme à la réalité (et même si cela le désavantageait), M. DeVicenzo fut pénalisé d'un coup et par le fait même perdit toute chance de se mesurer à Bob Goalby en prolongation. Finaliste déchu, DeVicenzo accepta la décision de bonne grâce et réussit quand même à exploiter sa mésaventure auprès de certains commanditaires compatissants. Ironiquement, Tommy Aaron, celui-là même qui avait inscrit le mauvais

Roberto DeVicenzo a reconnu son erreur.

Le mot de la fin revient au légendaire Bobby Jones. En 1926, à l'Omnium américain, M. Jones se pénalisera lui-même lorsqu'il avouera avoir fait bouger sa balle involontairement. Ni les spectateurs, ni son adversaire, ni même les officiels ne s'étaient aperçus de la faute, et le comité organisateur le félicitera de son honnêteté, ce à quoi il répondit bien humblement : « C'est comme féliciter quelqu'un de n'avoir point dévalisé une banque. » ⌘

pointage sur la carte du golfeur argentin, remporta le tournoi cinq ans plus tard.

Dans une situation totalement différente, le golfeur Craig Stadler sera lui aussi malchanceux. Lors d'un tournoi télévisé en 1987, après un mauvais coup de départ, il retrouve sa balle sous un immense pin et constate qu'il doit s'agenouiller pour effectuer son coup ; il décide donc d'étendre une serviette sous ses genoux pour éviter de salir son pantalon sur la résine de pin.

Le lendemain, lors d'une reprise télévisée où l'on voit M. Stadler agenouillé sur la serviette, des téléspectateurs téléphonent en grand nombre pour se plaindre de l'infraction à la règle 13,3 qui stipule :« Un joueur ne peut améliorer sa position au moyen d'une aide extérieure (la serviette jouant ici ce rôle) ». Le joueur a obtenu deux coups de pénalité pour cette infraction. Mais étant donné que la faute avait eu lieu la veille, M. Stadler fut automatiquement disqualifié. Dure réalité que commenta Craig Stadler en maugréant : «Il vaudrait mieux que je commence à apprendre mes règlements. »

Situation de *stymie* (pris au piège).

Illustration représentant une situation de *stymie*. Autrefois, si votre balle reposait, par exemple, à six pieds de la coupe et que la balle de votre adversaire était immobilisée à un pied du trou directement dans votre ligne, alors vous étiez *stymie* ou traduit librement «pris au piège». Car pendant longtemps, les joueurs ne pouvaient pas marquer leur balle lors d'une partie par trou. Ainsi, votre seule chance de réussir le coup était de lober la balle dans les airs avec un *niblick* (autrefois, l'équivalent d'un fer n° 9) pour passer par-dessus la balle de votre adversaire.

*I*NDEX
Coordonnées des parcours

Club de golf de Bic
150, route du Golf
Le Bic, G0L 1B0
418.736.5744
www.clubdegolfbic.com

Golf Boule Rock
210, route 132
Métis-sur-Mer, G5H 3K9
418.936.3407 / 1.866.936.3407
www.golfboulerock.com

Club de golf Cowansville
225, rue du Golf
Cowansville, J2K 3H1
450.263.3131 / 1.800.574.7997
www.golfcowansville.com

Club de golf Drummondville
400, chemin du Golf
Drummondville, J2B 6V7
819.478.0494
www.golfdrummond.com

**Club de golf Fairmont
Le Château Montebello**
392, Notre-Dame
Montebello, J0V 1L0
819.423-GOLF ou 1-800-441-1414
www.fairmont.com

**Golf Gray Rocks,
parcours La Bête**
1760, chemin du Golf
Mont-Tremblant, J8E 9Z9
1-800-567-6744
www.grayrocks.com

**Club de golf de l'Île de
Montréal, parcours Sud**
3700, Damien-Gauthier
Montréal, H1A 5S2
514.642.4567
www.golf-de-montreal.com

Club de golf de Joliette
221, chemin du Golf
Joliette, J6E 8L1
450.753.7459
www.golfjoliette.ca

Club de golf Ki-8-Eb
8200, boul. Des Forges
Trois-Rivières, G9A 5H5
819.375.8918
www.ki-8-eb.com

**Club de golf
Lac Saint-Jean**
15, chemin du Golf
Saint-Gédéon, G0W 2P0
418.345.8877
www.golflacstjean.qc.ca

Golf Le Challenger
2525, Des Nations
Saint-Laurent, H4R 3C8
514.335.5545
www.golflechallenger.com

**Club de golf
Le Manoir Richelieu**
585, côte Bellevue
La Malbaie, G5A 1X7
418.665.2525 / 1.800.665.8082
www.fairmont.com

**Centre de golf Le Versant,
parcours Des Seigneurs**
2075, Côte Terrebonne
Terrebonne, J6Y 1H6
450.964.2251
www.golfleversant.com

Club de golf Owl's Head
40, chemin du Mont Owl's Head
Mansonville, J0E 1X0
450.292.3666 / 1.800.363.3342
www.owlshead.com

**Club de golf Royal
Laurentien**
2237, chemin du Lac-Nantel Sud
Saint-Faustin-Lac-Carré, J0T 1J2
819.326.2347 / 1.800.465.3762
www.royallaurentien.com

Club Saguenay-Arvida
2680, boul. Saguenay
Jonquière, G7S 4L1
418.548.1188
www.golfsaguenayarvida.com

Club de golf Saint-Laurent
758, chemin Royal
Saint-Laurent, Île d'Orléans, G0A 3Z0
418.829.2244
www.golfst-laurent.com

Club de golf Saint-Georges
11 450, 90ᵉ Rue
Saint-Georges, G5Y 5C4
418.228.1745

Golf Sainte-Rose
1400, boul. Mattawa,
Laval, H7P 5W7
450.628.6072
www.golfste-rose.com

Club de golf The Falcon
59, Cambridge
Hudson, J0P 1H0
450.458.1997 / 1.866.458.1997
www.thefalcongolfclub.com

**Golf Tremblant,
parcours Le Diable**
117, chemin de l'Albatros
Mont-Tremblant, J8E 1T1
819.429.5832
www.golftremblant.com

Heidi Hollinger est née à Montréal où elle a étudié la photographie et les langues modernes à l'Université McGill. En 1991, elle déménage en Russie pour enseigner l'anglais à l'Université d'État de Moscou et y étudier les sciences politiques. De là, tout s'enchaîne à un rythme effréné, séances de photos, expositions, voyages, ouvrages d'art, projets médiatisés, en plus de devenir la toute première photographe étrangère du plus grand quotidien russe, *La Pravda*.

Heidi Hollinger a révolutionné l'univers de la photographie de portrait par ses réalisations «non iconiques» de leaders politiques, notamment ceux de Vladimir Poutine, Mikhaïl Gorbatchev, Paul Martin, Fidel Castro et le dalaï-lama. Ses reportages ont été récompensés par plusieurs prix et ses photographies ont été publiées dans de prestigieuses publications du monde entier. Heidi Hollinger a fait l'objet d'un documentaire de la Canadian Broadcasting Corporation (CBC) en 1995. Et à ce jour, elle a publié 5 livres et réalisé plus de 50 expositions à travers le monde, d'Omsk en Sibérie à Los Angeles.

Stéphanie Lefebvre, photographe et adjointe au Studio Heidi Hollinger, bénéficie d'une vaste expérience artistique. Diplômée en photographie et spécialisée dans la mode et le portrait, elle fait aussi de la photographie d'objets, d'événements spéciaux et ses réalisations ont été publiées dans divers magazines québécois. Bénéficiant également d'une expérience de plus de huit années à titre de graphiste, Stéphanie se démarque par son sens du cadrage et de la composition. Ces qualités lui ont d'ailleurs permis de remporter plusieurs prix dans divers concours tels que Grafika et Photo Sensation Design 2003, en plus de réaliser quelques expositions.

REMERCIEMENTS

Un projet d'une telle envergure n'aurait pu être possible sans la contribution exceptionnelle d'autres individus tout aussi passionnés que moi.

Ma reconnaissance va d'abord à la photographe de renom Heidi Hollinger qui a cru en moi dès le début. Grâce à son enthousiasme débordant, son sens de la perfection, son dévouement, son amitié, sa loyauté, et surtout à son grand talent, ce projet voit enfin le jour. Entre toi et moi : *Tyi luche vsyekh*. Un merci tout spécial à son fils Luka.

Un merci particulier va également à Stéphanie Lefebvre, photographe et adjointe au Studio Heidi Hollinger, pour sa vision, son implication et sa bonne humeur incontestées. Et je veux souligner aussi l'apport de Claude Gagné, horticulteur et photographe à ses heures, pour ses magnifiques clichés qui font ressortir toutes les beautés du Club de golf Saint-Georges.

Mille mercis à Serge Nadeau du Musée du golf du Québec, sis au Club de golf Les Cèdres à Granby (www.golflescedres.com), pour ses précieuses connaissances et recherches à caractère historique. Ainsi qu'à Jacques Landry pour ses encouragements et son sens critique et constructif.

Ma gratitude va également aux gens des associations touristiques régionales principalement celles de l'Outaouais, du Bas-Saint-Laurent, des Cantons-de-l'Est, du Centre-du-Québec, de Chaudière-Appalaches, de Charlevoix, de la Gaspésie, de Québec, du Saguenay/Lac-Saint-Jean et au service des communications du Groupe Intrawest de Mont-Tremblant.

Merci encore aux intervenants suivants pour leur appréciable collaboration : Centre des congrès de Rimouski, Château Sainte-Anne, Holiday Inn de Jonquière, Hôtel Le Dauphin, Club de golf Le Manoir Richelieu, Relais de L'Abbaye et Tour des Voyageurs de Tremblant.

Un merci est également adressé aux directrices et directeurs généraux, aux professionnels du golf et à l'ensemble du personnel dévoué des clubs de golf visités.

Bien entendu, je réserve un merci tout spécial à l'éditeur Michel Ferron qui a cru en ce projet et à toute l'équipe des Éditions UMD pour cette chaleureuse collaboration.

Enfin, je tiens à remercier tendrement et très sincèrement Louis-Charles, mon complice de tous les instants. Entre toi et moi : *SYSS*. Merci aussi à mes petits amours, Élyse et Julien, à mes très chers parents, Jeanne et Alain, ainsi qu'à mes précieux amis qui me soutiennent et me suivent dans mes mille et un projets.

Merci également à tous ceux qui partagent avec moi cette passion pour le golf, dont Marc Fisher, Jocelyne Cazin et la famille Alarie du Club de golf Saint-Jérôme.

À vous tous, je suis très reconnaissante.

NADINE MARCOUX

Achevé d'imprimer
en mars deux mille cinq sur les presses
de l'imprimerie Friesens, Altona (Manitoba).